テストに強い人は知っている ミスを味方にする方法

中田 亨
Toru Nakata

笠間書院

はじめに

テストで良い点数を取る人は、ミスをすることが少ないのだろうと思われがちです。

でも、そんなことはありません。人間は誰もがミスをするものです。そこに大きな違いはありません。

成績がいい人は、**自分のミスに気付ける技**を持っています。ミスをしても、すぐに見つけて書き直せば、何の問題もないのです。「ミスをしない人」の正体は「ミスに気が付く人」なのです。

それだけではなく、成績のいい人は、間違えることで勉強します。勉強というものは、自分で間違えてみないうちは、分かった気になっていても、本当には身に付いていないものなのです。勉強を進めたいなら、たくさん間違えて失敗した方がよいことになります。実際、「**フェイル・ファースト**（**Fail fast!：早く失敗しろ！**）」というモットーが欧米のビジネスの世界にはあって、失敗を恐れない挑戦的な態度が大事だとされています。

ものすごく成績のいい人は、運よくミスをして大発見をする能力を持っています。この能力を「セレンディピティ」といいます。大航海士コロンブス（1451〜1506）は、ヨーロッパ人として初めてアメリカを発見した人ですが、その計画は間違いだらけでした。彼は、ヨーロッパの東にあるインドであっても、地球は丸いのだから、西から回って航海してもたどり着けるだろうと考えました。しかし実際にコロンブスがたどり着いたのはアメリカであり、インドからは遠く離れたまったく別の所でした。この大間違いが大発見に化けたのです。

こう考えてみると、ミスとは役に立つものなのではないかと思われてきます。もちろん「ミスを減らす」ことは大事で、社会から事故をなくすためにはしっかり対策を練らないといけません。ですが、**「ミスを利用して学ぶ」**や、**「ミスを味方にする」という考え方も捨ててはいけません。**

この本のねらいは、ミスと人間の関係をしっかり考えてみようという点にあります。ミスといえば、その予防法ばかりに注目がいってしまいますが、ミスの有効利用という点も忘れてはなりません。ミスを恐れるばかりに失敗ゼロの人生を辿ろうとするなら、成功の確証がないことにはいっさい挑戦せず、誰かに決められたレールの上だけを走って、寿命が尽きるのを待つだけという、つまらない結果しか待っていません。こう考えている人は、世の中には意外と多いのです。ミスを怖がりすぎといえます。

虎穴《こけつ》に入らずんば虎子《こじ》を得ず。ミスをするかもしれない人生こそ、わくわくする冒険になりえるのです。ふだんは失敗をなるべくせず、かといって失敗を恐れず、失敗しても立ち直り、**失敗から学びを得るための方法論**を考えていこうと思います。

まとめ

- **成績のいい人は、ミスに気が付く技を持っている。その技は学べばあなたも使えるようになる。**
- **成績がめちゃくちゃいい人は、ミスを活用して勉強している。**
- **偉大な発見は、ミスから生まれる。**
- **ミスと仲良くなろう。**

第4章 「分かる」とは何か？——勉強法を見つめ直す

第5章 研究者の探究の流儀——間違いのその先へ

Column

第1章

成績が良い人はどこが違う？

「頭の良さ」はいろいろある

一口に「頭がいい」とか「賢い」といっても、その意味するところはいろいろあります。学校のテストで間違えないことも賢さの一種ですが、暑い日の来客へは冷たい麦茶を出してあげる気遣いも賢さです。パズルをすらすら解けるという賢さもあれば、野球で相手投手のすきをついて盗塁《とうるい》を決行するという賢さもあります。

この章では、テストで良い点を取れるという意味での「賢さ」を取り上げてみましょう。

それには、

○根気

○生まれつきの才能

○啓示

○指導者

○ミス管理能力

の5つの要素が関わってきます。

結局は根気が最重要

根気がもっとも必要です。勉強を続ける根気がなければテストで良い点は取れません。身もフタもない話ですが、**勉強に楽な抜け道はないのです。**「**学問に王道なし**」です。

全然勉強してないのにテストで満点を取るという現象は、小学校低学年でのテストならまぐれでありえますが、学年が上がるとぱったりと止みます。

大学入試では、英語が必須科目になる場合がほとんどです。よって英単語の暗記も絶対に必要となります。大学入試では数千個、超難関大学なら1万個もの英単語を覚えないと合格できないといわれます。たとえば中高の6年間で1万個を覚えようとすると、単純計算すれば、新しい単語を一日平均して4、5個覚えることになります。一度勉強したのに忘れてしまった単語は暗記をやり直さないといけませんから、それらの復習も合わせれば**毎日10個程度は暗記の勉強をこなすわけです。**

これだけでも大変な苦行ですが、入試では英単語だけではなく、当然、他の教科の勉強もしないといけません。難関大学に合格するには、毎日しっかり時間を割《さ》いて勉強を続けることが必要です。

数学や物理学といった、あまり暗記の必要はないと思われがちな科目も、実は入試では暗記がものをいいます。**入試問題は学校で教える範囲内で作らねばならないので、問題のパターンが限られてしまいます。**よって、テストは毎度おなじみの問題ばかりになる宿命にあります。受験勉強をしていると何度も同工異曲の問題に出会うので「これは『相加相乗平均の関係』を使うのだな」とか、「平方数は3で割ると余りが0か1になる性質を使えば解けるな」とか、「四次方程式の問題なら、どうせ相反方程式に当てはめるのだろう」などと、答えが見え透いてくるものです。すごく難しいことを言っているように思えますが、入試で何度も出てくるおなじみのもので、半年も勉強を続けてみれば、さすがに飽きます。

パターンの記憶に頼らず自力で問題を解ければ格好いいですが、効率が悪いともいえます。**少し考えて歯が立たない難問だと感じたらギブアップして解答を見る**というのが、受験勉強のテクニックの一つになっています。問題のパターンを覚えて、問題を見れば解答を思い出せるようになるまで暗記するのです。最近では、ネット上に入試問題の解き方を解説する動画が大量に掲載されています。それらを飽きるほど見れば、問題のパターンを嫌でも覚えてしまうので便利です。

解法のパターンを覚えるといっても、すべての解答を完全に暗記する必要はありません し、そもそも無理です。**解き方の細かい部分が思い出せなくても、取っ掛かりを思い浮かべられれば十分です**。「この種の問題は3で割った余りに応じて場合分けをすることが多かった気がする」という程度のふわっとした記憶でも、問題に取り組む上で重要なヒントになります。そこから先は記憶に頼らず考えて解くというのが普通でしょう。取っ掛かりが思い浮かばず、頭の中が真っ白という事態は、試験時間を大きく消費してしまうので、避けたいものです。

いちいち自力で解こうとすると、時間がかかりますし、解けなかったときには不愉快で

3で割る
$x^2 \equiv 0 \text{ or } 1 \pmod 3$

教科自体が嫌いになるので、ろくなことはありません（意地でも自力で解かないと気が済まないという変わった人は、入試に向いているかはさておき、学者には向いています）。

入学試験ではしばしば、持ち時間が非常に短く設定されています。自分で一から考えていたら時間が足りなくなるはずです。**パターンを暗記している人だけが、時間内にスラスラ解けて合格しているという風潮は否めません。**これでは単に暗記力テストではないか、という批判があります。最難関の大学では、暗記力偏重を嫌って、試験時間をあえて長くとり、パターンに当てはまらない問題を出す所もあります。

テスト直前に徹夜《てつや》するといった短期集中の苦行は、追い詰められれば誰でもやります。しかし、急いで勉強しても点は良くなりません。受験ともなれば一夜漬《づ》けでこなせる量ではありません。過労死するような激しい勉強を数日間しても、それは勉強に年単位の計画性がないことの証《あかし》であり、恥だといえます。

何年間も毎日少しずつ、勉強を続けることはかなり難しいです。なんらかのトリックを使わないと実現できないと思います。

そこで**共に戦う仲間を作ること**が、よく使われるトリックです。私は高校生だったとき、同級生を誘って英単語暗記をやりました。毎日、授業の間の休み時間を使って30個ほど暗記し、昼休みに互いに問題を出し合うという活動を1年続けました。すぐに飽きましたが、止めようとは言いだしにくく、続けてしまいました。結果、この自主勉強の参加者はみんな難関校に合格できました。

後年、仕事で知り合った弁理士（特許などを扱う専門法律家）も同じことを言っていました。弁理士試験は非常に難しいものだが、受験予備校に通っていると、同級生と仲間になって、助け合い、教え合いながら集団で試験にアタックするので、なんとなく合格できるものなのだ、と。

最近では、ゲーミフィケーション（本来ゲームではないものをゲーム仕立てにすること）が教育の用途で広まりつつあります。スマホのアプリで勉強するという人もいるでしょう。こうしたアプリはゲーム風になっていて、毎日勉強を続けるとトロフィーをくれたりします。連続記録が途切れるとくやしいので、毎日少しずつ続けてしまうようになります。

こうしたトリックを使うかどうかが、勉強の継続の成否を決め、継続が成績を決めるといえます。**自分の成績が悪いのは、頭が悪いからだとか、やる気のない三日坊主の性格だ**

からだと考えてはいけません。トリックを使ってないからだと、とらえましょう。

まとめ

○継続は力なり。年単位で毎日少しずつ勉強を続ける。
○問題のパターンは限られている。慣れれば答えが見え透いてくる。
○共に戦う仲間を見つければ、継続できる。

生まれつきの才能のせいにはしない

天賦《てんぷ》の才能、つまり生まれつき「頭がいい」ことは、ありがたいことですが、入試ではそれほど決定的な要素ではありません。

勉強につきものの暗記という作業は、ただ覚えるしか方策がなく、単語カードとか暗記用の赤い下敷きを使うといった、昔ながらの方法で覚えていくしかないのです。**天賦の才能は関係なく、「やるか、やらないか」の問題です。**

「生まれつき頭がよかったから、たいして勉強せずに、難関大学に合格できた」という人の話をよく聞きますが、実際は、人に見られていないところで地味な勉強を毎日続けていたに違いありません。

小中の入試なら、暗記することが少ないので、本当に勉強せずに合格できるかもしれませんが、大学では英単語の暗記という高いハードルがあるので、生まれつきの才能だけではらちがあきません。天賦の才能のおかげで楽に難関中学に合格できたとしても、その後の努力を怠ると、大学入試では苦戦することになります。「十で神童、十五で才子、二十過ぎればただの人」という慣用句の通りです。

天賦の才能は、芸術の分野では重視されがちです。モーツァルトは5歳にしてすでに作曲をしていました。囲碁《いご》や将棋《しょうぎ》の名人たちも、小学校低学年の段階で大人を簡単に負かしたといった天才児伝説を持っていることが普通です。非常な早熟であることが、歴史に名を残す大天才になるための絶対条件であるという意見は根強くあります。

私がモーツァルトについて、ぞっとするのは、その作曲のペースです。モーツァルトの作品には通し番号（ケッヘル番号）が振られていますが、年齢が1つ上がるたび、ケッヘル番号がおよそ25増えるという関係があります。要は、ごく若い頃《ころ》から35歳で死ぬまで、毎年25作品を作るというペースで一定しているのです。これは異常なことです。

現代のアーティストの多くは、駆け出しの頃から全盛期までは勢いに乗って大量に作品を発表します。それでもデビューから20年も経てば、体力は落ち、やりたいことはすでにやったという心境になって、創作のペースが落ちるものです。お笑い芸人でも、掛け合いの激しい漫才で大成功した後は、ゆったり仕事ができる司会業に転身するというのがお決まりのコースです。年をとっても全盛期と変わらぬハイペースで創作し続けている人はなかなかいません。

天才児であっても、やりたくないからやらないといった気まぐれでは長続きせず、本当の天才とはなりません。**天才は、状況に左右されずに質の高い仕事を量産するものです。それには地道な努力の積み重ねがいります。**エジソンの言う「天才とは1％のひらめきと、99％の努力である」という言葉の通りです。

まとめ

○生まれつき頭がいいと思われている人であっても、裏で努力をしている。努力しないままだと、やがては立ち行かなくなる。

○天賦の才能があっても、それを活かすには地道な努力が必要。

啓示が降りて初めて勉強の道が選べる

啓示とは、天から降ってくるお告げのことです。ある日突然、「これをしよう!」と決意が自分の心の中に生じることがあります。他人から言われたわけでもなく、論理的にも強い理由はないことなのに、なぜかそう思ってしまい、どうしてもそれに従わないといけないという超越的な強制力を持った指令です。

「啓示」という言葉は、一般的には、宗教的な事柄を指します。しかし、ごく個人的で世俗的な問題である進路の選択でも、啓示がないと話が始まらないものです。**進路や仕事の選択は、「理由はうまく人に説明できないけれど、どうしても登山家になりたい」といった、強固な思い込みが発端となって動いていくものです。**

啓示は、学年が上がって本格的に進路の選択を迫られる頃までには、得ておきたいものです。

小学校での勉強は、誰でも同じ内容ですから、何も考えず言われた通り同じ勉強をすればよいのです。しかし、高校になると、文系や理系、芸術系、スポーツ系という違いや、普通科や商業科、工業科、農業科など、進路に選択肢《せんたくし》が増えていきます。全部に手を出すことはできず、どれか1つだけを選ぶことになります。

大まかな進路を選んだ後も、科目をさらに細かく選ばされ、最終的には細かい職種の選択という大きな問題に突き当たります。たとえば、一口に医師になりたいといっても、腎《じん》臓《ぞう》移植の専門医と、空港の検疫所《けんえきしょ》で働く医師とでは、まったく違う仕事です。仕事の種類は細かく見れば無数にあるのです。いつかは、その中の1つを自分の仕事として選ばないといけません。

進路は、一般的には、自分の成績や、経済的な事情、世の中の情勢に応じて選ぶことが多いでしょう。合理的に考えれば、数学が苦手だという人は理系に進むと苦労するので文系を選ぶという選択になるでしょう。また、弁護士は高給取りだからという理由で法学部に進むという決断も理解できます。

啓示は、そうした本人の事情や、合理的な選択などにお構いなしに降ってきます。たとえば、数学が苦手な人に、「お前は河川工学を勉強して、一生の仕事にしなさい」などという無茶な啓示が下ることがあるのです。こうなると大変です。絶対命令ですから、苦手だろうが、生活が大変だろうが、当たって砕けるまで勉強をしなければなりません。

啓示が下るのには、なんらかのきっかけがあります。川が氾濫《はんらん》して自分の家が流されたという人は、河川工学を勉強して洪水《こうずい》に対抗しようと思うでしょう。あるいは、映画やドラマの中で堤防工事のシーンが目に入り、なぜか一目惚《ひとめぼ》れしたというパターンもあります。

江戸時代に喜田川守貞《きたがわもりさだ》という人がいました。ある日、彼は仏事の参列者にお礼として配られるお菓子が、昔と比べてずいぶん豪華になったことに気が付きました。そこで、中身がどう変わったか記録しようと思い立ちました。これほどささいなことは誰も書き留めません。しかし、こうした小さい情報から、世の中のいろいろなことを推し量れるのです。未来の人々の役に立つように、私は日常生活の小さいことを記録するのだと、彼は書いています。彼が目論《もくろ》んだ通り、現代の我々が江戸時代を知るには、彼が一生をかけて残した膨大な記録が欠かせません。私も法事やお葬式でお菓子をもらうことがありますが、そこからライフワーク（一生の仕事）を思いつくことはありませんでした。喜田川守貞にだけは啓示が降りたとしかいいようがありません。

啓示がなければ、専門を極められないとすらいえます。よほど好きでないと、修業が続かないのです。落語が嫌いな人は、そもそも入門しようとしませんし、弟子を取る師匠《ししょう》の方も門前払いにするでしょう。損得勘定《かんじょう》で職業に落語家を選ぶというようでは、すぐに飽きてしまいます。**仕事というものは、光の当たる華々しい部分や楽しい部分はほんの少しで、日常では退屈な作業や辛い労働を大量にこなしていかねばなりません。**好きでなければ続ける気が保てません。

選んだ道で失敗しても啓示は責任を取ってくれません。骨折り損のくたびれ儲《もう》けに終わる危険性はあります。
しかし、「好きこそものの上手なれ」と言うように、強い興味を持っていることは勉強を助けてくれます。河川工学の勉強では、実際の川に行き、ダムや堤防の実物を見て、理論を実感するという勉強をします。理論を体で感じて習得することにあるので、もともとは数学が苦手だった人でも、『縦格子型取水工のモストコフの式』のような微分方程式が何を言っているのかが分かるようになります。

微分方程式というとすごく難しそうにみえます。ましてやΨ《プサイ》というギリシャ文字が使われるとなおさらです。しかしその正体は簡単で、格子状のどぶ板の上に水が流れてきて、穴に吸い込まれている状況をいっているだけの話です。

建設会社に入ったら、難しい計算はコンピューターがしてくれます。大学入試のように、数学的技巧を尽くして紙と鉛筆で難解な方程式を解くという手技は、会社ではお呼びでないのです。よって数学が苦手な人でも問題ありません。それよりも、自分の好きなことを見つけることが大事なのです。

失敗を恐れて啓示が命じる道に進まないことは、あまりよい結果を生みません。私の同

Column

縦格子型取水工の モストコフの式

$$\frac{dQ}{dx} = -\mu B\psi\sqrt{2gH}$$

地面に水を吸い込む排水溝が掘ってあって、縦じま格子のフタで覆ってあるものが、縦格子型取水工です。道路のわきなどでよく見かけます。その上を水が流れると、水はどれだけ吸い込まれるでしょうか？　それはこの式で分かります。

この式は、水の動きをちゃんと言い当てるし、社会でさかんに使われている点で偉いのです。微分方程式だから偉いのではありません。

文字の意味：d は高校で習う微分記号。x はフタの端から計った位置座標。Q は x の位置でフタの上を流れている流量。μ《ミュー》は流量係数（取水工の傾きなどによって変わる値だが、過去の実験から分かっている）。B は水流の横幅。Ψはフタにあいた格子の穴の面積がフタ全体の面積にしめる割合。g は重力加速度。H は排水溝にさしかかる前での、流れの厚さ（正確には「エネルギー水頭」というもの）。

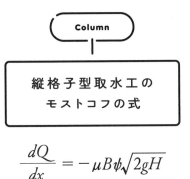

級生でも、好きなことに関する仕事より、他の職業を、給料が高いとか、かっこいいといった理由で選んだ人は数多くいますが、何年か経った後でやっぱり好きなことを選べばよかったと言いだす人は、ある程度の割合で出現します。20歳そこそこの時点で、ある職業が高給取りだったとしても、**20年も経てば社会情勢は一変します**。20年前の就職人気企業ランキングを見てみると、今ではまったく不人気になっている会社が上位にランクインしていたことに驚くでしょう。自分が40歳になる頃には、最初に就職した会社が衰退している確率は決して小さくありません。

今の時代は、チャンスをとらえて転職する方が当たり前だといえます。浮き沈みの激しい情報産業・ネット産業の世界では、うまく渡り歩いた転職歴を持っていることが武器になります。社会情勢はどうせ見通せないのですから、世間の噂《うわさ》に振り回されることなく、**自分が一目惚れした進路を選んでおいた方が、たとえ失敗するにせよ、納得はいくものです。**

まとめ

○学年が上がるにつれ、進路の幅が広くなる。啓示がなければ、進路が選べなくなる。損得勘定で進路を選ぶと後悔しがちである。

○啓示があれば、勉強に身が入る。好きこそものの上手なれ。

大人になっても啓示が指針になる

研究者の世界も、テストの成績は優秀ではあるが、啓示を得てないがためにぱっとしない人が大勢います。他人からあるテーマを研究せよと指示されれば、それなりの成果を出せる程度には優秀なのですが、自分自身でテーマを見つけることができません。

たとえるなら、**こういうストーリーの漫画を描いてくれと言われれば上手にできるが、自分オリジナルの作品は描けないという人**です。部下として働いている段階なら問題ありませんが、いざ独り立ちした後は、何をテーマにするか自分で見つけ出さねばならず当惑します。啓示が降りてきてテーマを指し示すまで、じっと耐えて待つしかありません。

テーマを見つけられずに悩む方が普通なのです。孔子は、15歳のときに学問を志したが、自分への天命を知ったのは50歳のときだと言っています。孔子は頭脳明晰《めいせき》で活動的な人でしたが、彼ですら、自分は何をなすべきかの啓示を得るのに50年かかったのです。

周りの上司や知人からは、「今、このテーマが人気だよ。選んでみなよ」といった助言をもらえます。しかし、こうした助言はほぼ役に立ちません。損得勘定でテーマを選んでは長続きしないものです。ブームのテーマは、競争相手がひしめいていますから、そこに参入することは楽ではありません。人に言われたからやるという受け身な態度では、1分1秒を争う研究開発に勝ち抜くことは無理というものです。

オリジナルとは、自分だけが他人とは違う道に進むということです。成功を手にするまでは、他人からは筋の悪い目論見《もくろみ》だとけなされたりします。成功する保証もないので、非常に心細いものです。それでもそのテーマを自分はやらねばならないという啓示を得ていないと、長続きしないものです。

啓示はどうしたら得られるでしょうか。啓示は時と場所を選ばずランダムに降ってくる

ものなので、確実に呼び寄せる方法はありません。しかし、**自分の現状に不満を持ち、そこから飛び出すことは啓示をキャッチする可能性を高めるでしょう。**周りの同級生と同じ進路でいいと思っているうちは啓示を感じませんし、同じ教室に居続けると、自分の知らない外の世界を知ることもありません。

サラリーマン作家として有名だった山口瞳《やまぐちひとみ》は、若い会社員は見聞を広めるために、時間に暇があったら、たとえば銀座のデパートを見て回るといったことを自分の一存でしてもよいし、上司もそれを認めるべきだと言っています。見聞が狭いことは社会人としては欠点なのです。

まとめ

○研究の世界では、自分独自のテーマを見つけなければ勝ち残れない。
○自分は何をライフワークにしたいのか、考え続け、探し続けよう。

良い指導者に出会うことが大事

『徒然草』の第五十二段は、「仁和寺《にんなじ》にある法師」で始まる話です。仁和寺のあるお坊さんが初めて石清水八幡宮《いわしみずはちまんぐう》に参拝しようと出かけたのですが、途中にあるお宮を見て、これが目的地の本宮だと勘違いして、そこで引き返してしまったのです。ガイドがいればこうはならずに済んだでしょう。「少しのことにも、先達はあらまほしき事なり」（ちょっとしたことでも指導者は欲しいものである）という教訓で締めくくられています。

勉強やスポーツ、芸術は、心得のある上手な人から習わないと、なかなか上達しません。上手な人は、能力が優れているだけでなく、正しい練習の仕方も知っているのです。**教えることが上手な人から習うと、相当に難しい物事でも、わりと簡単に学ぶことができます**。上手な先生を見つけるという点が、勉強の成否を大きく左右します。学ぶ本人の才能や学力よりも、先生のうまさの方が決定的要素なのです。

人工知能・ロボット工学の分野では、ニルス・ニルソン（1933〜2019）という科学者が分かりやすい教科書を書くと評判でした。この人は、人工知能とロボットの発展の歴史に、当事者として居合わせ、自分も重要な発明をしてその営みに貢献《こうけん》した科学者です。技術がどう生まれてきたかを生《なま》で見てきたからこそ、教科書の説明が要所を突いていて、無駄がなく、分かりやすいのです。難しく見える技術も、元をただせば、実に素朴《そぼく》な発想から生まれてきました。その経緯を知っているニルソンなら、どの時代に誰がどんな問題に対してどう素朴にアイデアを思いついたかを説明してから、それを数学的に整理するという順番になるので、よく分かります。他の教科書では、やたらと難しい数式が書かれ、次にその数式の細かい変形に話が移ったりして、抽象的で難しいし、なにより面白くありません。これで勉強しろと言われても酷《こく》な話です。

私が日米の科学力の差を痛感するのは教科書です。専門家人口の多い英語圏で出版される専門書の数は日本と比較にならないほど大量で、質の良い教科書でないと生き残れません。私がアメリカの大学院で勉強していたとき、授業で使う教科書はだいたい2年以内に出版された新しいものばかりでした。日進月歩の自然科学の授業で古い教科書を使うような先生は、生徒から手抜きであるとの低評価を受けてしまいます（アメリカの大学は生徒が先生を評価します）。

日本語の専門書出版界ではこうはいきませんが、多くの本を乱読していけば、たまには良い本に当たります。何か新しい勉強を始めるときは、まず大きな図書館に行って、その分野の本を大量に手当たり次第にめくれば、なんとなく本の良し悪しが見えてきます。

勉強の最初の段階で、良い指導者から正しい内容を教えてもらうと、後の学習が楽になるという効果があります。ゴルフを始めるなら最初にレッスンプロに習えといいます。独学で変な我流のフォームを身に付けてしまうと、後からは修正が難しいのです。

教え方が上手な指導者を見つけるには、どうすればよいでしょうか。

上手な指導者を見つける正攻法は、まずはよく調べるに尽きます。良い指導者は評判が立っていますから、人に尋ねたり、本を見たりすれば、有名な人を見つけることは難しくありません。その人のレッスンを直接受けられなくても、本や動画で学ぶことはできます。

現代では、教えてくれる動画がネット上に無数にあります。学校の勉強から、日常生活の豆知識、はては高度な専門知識まで、どんな話題でも勉強用の動画は見つかるといっていいでしょう。数が多いですから、ある動画を見て分からなくても、別の動画に乗り換えて勉強すればよいのです。私が子どもだった頃はネットはまだありませんでしたが、教育テレビを暇つぶしに長時間見ていました。それが勉強になったと思います。

　高校や大学で習う数学を、小学生や中学生の数学ファン向けに分かりやすく解説してくれる本は、昔から大量に出版されています。今ならネット動画の方が見つけやすいかもしれません。人工知能の分野には深層学習という、大学で習う難しい技術がありますが、ネット上に解説動画もあれば、パソコンを使って誰でもボタン一発ですぐに実験できるプログラムも無料で提供されているので、中学生ぐらいから趣味として遊ぶ人も珍しくありません。

「**教わるのにもっとも効果的な方法は、自分が教えることだ**」ともいいます。自分がまったく知らないことであっても、それをちょっとかじってみて、先生のふりをして、他人に教えるという、インチキめいたことが勉強のコツなのです。この勉強法を大学では輪読会と呼び、さかんに行われています。テスト前に友達同士で教え合うということも同じです。

　教わる側から教える側に立場が逆転すると、不思議と頭が冴《さ》えるものです。たとえば、

「金属の低温脆性《ぜいせい》について調べて、明日の会議でみんなに教えてくれ」と言われたとします。それをまったく知らなくても、ネットや辞典を調べれば、概要を説明した文章を入手できるでしょう。しかしこうした文章は、言葉が堅苦しいですし、おおざっぱですから、そのままでは役に立ちません。**自分流に言い換え、新しい内容も足さないと、他人に教えることは難しいのです。**たとえるなら何か。分かりやすい絵や写真はないか。この概念が生まれるきっかけとなったエピソードはないか。どの順番で話すのが分かりやすいか。こういったことを考えることが、自分は何を分かっていないかを明らかにし、考えを深めることになります。

「人は建築することで大工になり、琴《こと》を弾くことで琴奏者になる」（アリストテレス）

人は、能力が整ってから実践《じっせん》に移るのではなく、実践によって能力を獲得します。指導者の役になることで指導者となるわけです。

まとめ

〇教え方が上手な指導者を得れば、勉強は楽勝。

○ネット動画で、たいていのことは勉強できる。

○「自分が知らないことを、自分で教える」精神が勉強の秘訣《ひけつ》。

勉強自体とミス管理能力は違う話

ここまで論じてきた、根気、生まれつきの才能、啓示、指導者の4つの要素は、何をどう勉強するべきかという、いささか哲学めいた深い論点でした。かたや最後に残った「ミス管理能力」は、うっかりを防ごうという一点にだけ目的を絞ったテクニックの話です。深みはないですが、細々とした技法がやたらとあります。長くなってしまいますので、次の章で改めて話していきたいと思います。

第2章

テストでのミスを防ぐ

ミスが減る3つのポイント

テストで、解き方は分かっていたのに、計算ミスや、英語のつづりの間違いなど、ちょっとしたことで失点するということは、誰にでもあります。

囲碁《いご》や将棋《しょうぎ》のプロ棋士は、何十手先まで見通して、慎重に作戦を立てるものです。そんな人ですら、素人でも気が付くような簡単な落とし穴を見落とし、一瞬にして負けるということがゼロではありません。練習をいくら積んでも、天賦《てんぷ》の才能があっても、ミスをする確率はゼロにはできません。

とはいえ、ミスが少ないという人もいます。そういう人は、

- ○平常心を保つ
- ○時間配分を工夫し、難問を避ける
- ○自分のミスを見つけるのがうまく、すぐ直せる

という点で優れているのです。

平常心を保つ

禅に「平常心是道《これどう》」という言葉があります。**ふだん通りの素直な判断力は悟《さと》りであると**いう意味です。たしかに、ふだんだったら実力で解ける問題も、あせっているときは解けないということはあります。特に、文章読解の問題は、言語能力をフル回転させないといけません。あせると言語能力はガタ落ちするので解けなくなるのです。

自分が慣れている環境ならば、平常心を保つことも簡単になります。大都会に出て、入学希望の大学の立派なキャンパスを見ると、最初は圧倒されてしまいますが、一度見てしまえば慣れます。**試験会場は必ず下見をして、本番で動揺しないようにしましょう**。また、本命校の入試の前に、模擬試験や他学校の入試を受けて、テストの雰囲気に慣れることも有効です。

元野球選手のイチローは、打席に入るたびに、いつも同じ動作をすることで有名でした。こうした儀式的で毎回不変の動作はルーチンと呼ばれます。いつもと同じ流儀をなぞることで、たとえ違う場所、違う日であっても、ふだんの平常心を呼び起こすのです。

試験では机の上に鉛筆や消しゴムを置くことになりますが、**毎回同じ配置に決めておけば、それがルーチンとなって、ふだんと同じだと感じやすくなります**。毎回、何を持参するか考え、どう置くか悩むようでは、心が安定しませんし、なにより忘れ物を誘発します。持ち物セットを決めておき、試験前日までにそろえてカバンに入れておくことが肝心です。

要するに、「**自分の型を決めろ。持ち物セットをいちいちいじるな。当日になってドタバタするな。前日までにできることは先に済ませろ**」ということです。

典型的な持ち物セットを考えてみましょう。

□ **受験票**：日常生活ではなじみのないものなので、よく忘れます。同じ大学でも、日程や学科を取り違えてはいけません。

□ **筆記用具**：鉛筆、消しゴム2個、シャープペンシルなら芯《しん》も必要。

□ **時計**

□ **眼鏡類**

□ **マスク、衛生用品**：試験で緊張すると脂汗をかくので、汗ふきシートも用意。

□ **防寒具**：試験室内の思わぬ寒さに備える道具。

□ **受験案内の書類**

□ **交通・旅行関係の資料**（乗り換え案内、地図など）、**切符・定期券、宿泊関係の書類**

□ **弁当、間食、飲用水**（水なら漏れても被害が少ない）

□ **持病があったり、体調が悪い人は薬**

□ **折りたたみ傘**

□ **お金**：メインの財布とは別に、非常用に交通費分のお金を所持。タクシー代まで用意できればいっそう安心。

□ **電話関係**：携帯電話・スマートフォンが持ち込み禁止の場合は、大事な電話番号をメモして所持。

□ **直前に暗記勉強するための参考書**：会場にて休み時間に見る。行きの電車やバスの中では、乗り過ごすので、読まない。

実にいろいろあります。取りこぼしのないように、早めにそろえて、固めておきましょう。

まとめ

○平常心を保てれば、実力を発揮できる。

○試験の環境に慣れる。いつもと同じ流儀をする。下見する。

○持ち物セットを事前に固めておく。当日になってドタバタしない。

時間配分を工夫し、難問を避ける

時間の使い方は、テストでは大きな問題です。というのも、学校の定期テストや入試の多くは、解答時間が短いのです。普通に取り掛かっては、時間が足りなくなり、あせってミスをしてしまいます。時間のプレッシャーをうまく乗り越えて、冷静にテストに向き合える人が、かなり有利という仕組みになっています。

テストでは、何にどれだけ時間を使い、何に時間を使わないかを、考えなければなりません。難問は捨てて、浮いた時間を解ける問題に費やすという戦略が必要なのです。二兎《にと》を追う者は一兎をも得ずの通りです（私は大学に入学した後、同級生と、自分は入試でどの問題を丸ごと捨てたかを自慢し合ったものです。肉を切らせて骨を断つ。捨てた問題が多い人ほど、受験のプロであると尊敬されました）。

時間計画は、次の原則に従って立てます。

○何問解ければ合格かを調べ、その点を目標にする。無理に満点を狙《ねら》わない（特に入試では、満点を取る人など、まずいない）。

○テスト開始時に、全体を見渡し、解ける自信のある問題から着手する。一番やさしい問題が済んだら、二番目にやさしい問題へと、順に着手する。

○ぱっと見て、難しそうな問題は後回しにする。特に、難問であるが選択肢《せんたくし》式の問題には、最初から捨ててかかり、テストの終わり間際に当てずっぽうで答えを選ぶという手もある。

○後回しにする問題は、すぐには解かないが、第一印象を問題用紙にメモ書きをしておく。たとえば、「難易度高。数学的帰納法を使うのか？」などと書く。

○大学入試ではたまに極端な難問が出ることがある。そんなときは、動揺せず、「問題の作者が難易度調整に失敗したな。あるいは学校の評判を上げるために、わざと難しい問題を出したな。この問題はどうせみんな解けず、合否に関係ないから、捨てよう」と腹をくくる。

○解き始めて難しいと分かった問題は、部分点がもらえるところまで解いたら、いった

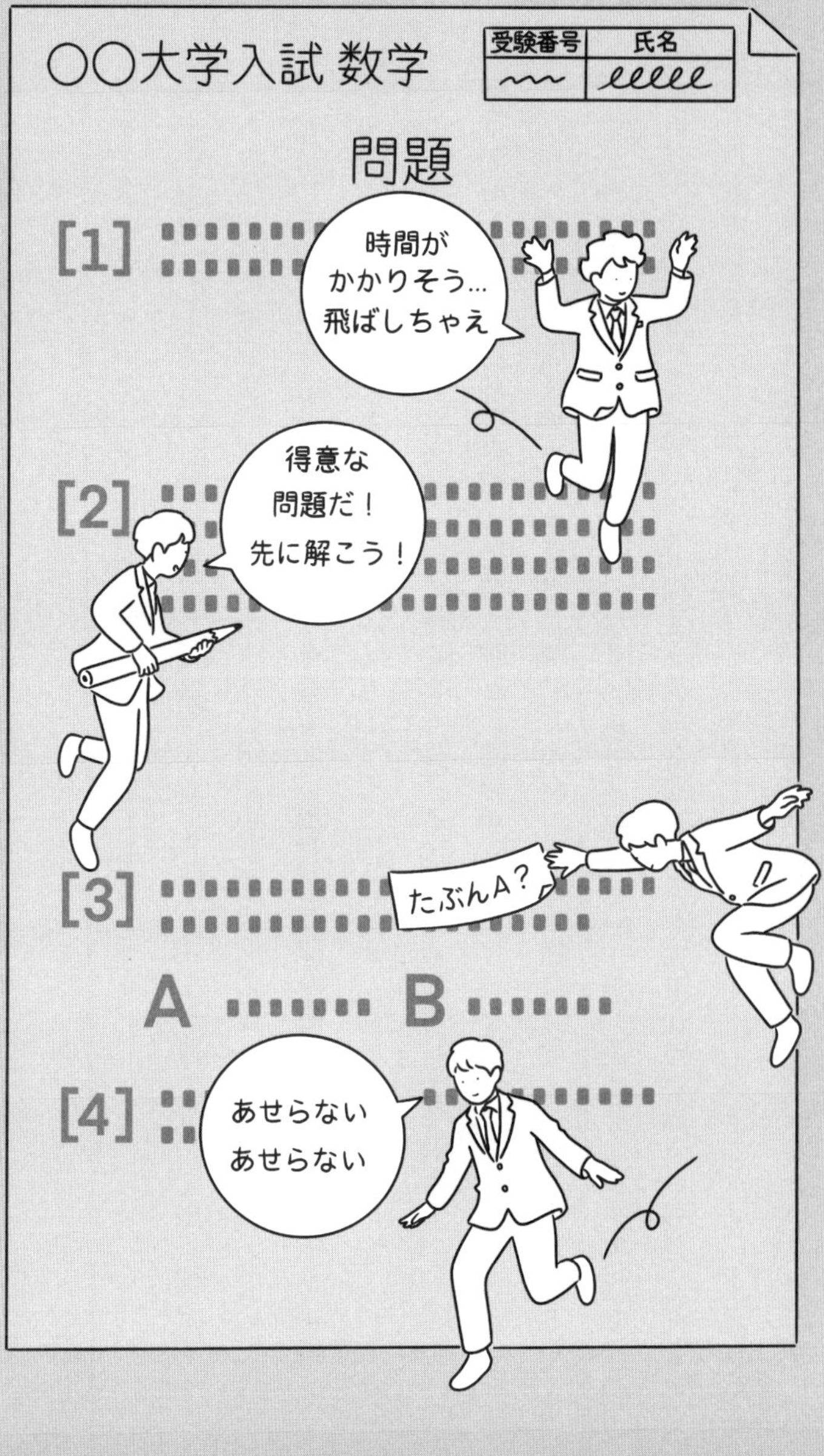
〇〇大学入試 数学
受験番号
氏名
問題
[1]
時間がかかりそう…飛ばしちゃえ
[2]
得意な問題だ！先に解こう！
たぶんA？
[3]
A
B
[4]
あせらない あせらない

ん後回しにする。

部分点狙いというテクニックをもう少し詳しく見てみましょう。

数学ならば、たとえば「背理法によって証明する。まず、式1が成り立たないと仮定する」といった、答案の冒頭に登場する決まり文句があります。ここまでは頭を使わないでも、おなじみの文句を選ぶだけで書けるものです。**出だしだけを書いて、尻切《しりき》れトンボに終わったとしても、零点《れいてん》とは限りません。**もし、その出だしが、模範解答の出だしと一致するものだったら、採点者は途中まで解いたものとして部分点を付けてくれます。

解答がおおざっぱには書けたものの、細かい部分がまだ解けてないという状況もあります。たとえば、xが偶数である場合は証明できたが、奇数の場合は答えが分からないということがあります。その場合は、「xが奇数の場合については、別途証明する」と書き残しておいて、時間が足りなければ、そのまま放置します。これでも採点者はそれなりに部分点をくれます。

英語なら、主語と動詞は文の根幹なので、そこだけはしっかり面倒をみるという作戦が

あります。形容詞や副詞といった修飾語は、それを無視しても、文意に大きな影響はありません。分からない修飾語や修飾句は、無理に訳したり、書こうとしたりしなくても、零点にはなりません。時間が足りないなら、そこで手を抜くことが大事です。

まとめ

○あせらないように計画的に時間を使う。
○解ける問題から先に解く。難問は後回し。
○難問であっても、部分点を取るテクニックがある。

見直しでミスを直すには

人間はミスを大量に犯すものですが、たいていのミスはすぐに自分で気が付き、修正するので、ミスによる実害を受けずに暮らしていけます。字をまったく書き間違えず、消しゴムを使わずに済むなら、それに越したことはありませんが、そこまで人間は精密ではありません。消しゴムを使って結果的に誤字をなくすことを目指すのが現実的です。

問題を解いたら必ず見直しをしましょう。ほとんど正解に近いが、ちょっとした誤字や計算ミスで間違いになっている箇所が、かなり多くあるはずです。それらを取りこぼすことは、もったいないことこの上なしです。

しかし、問題を解いたときと同じ目線で読み返してみても、間違いには気が付きにくいものです。自分がついさっきまで考えていたことを、自分自身で疑うということは、心理的に難しいことです。「よって答えは3である」と書いたばかりの人が、間を置かずに「いや3ではないかもしれない」と本気で疑えるものではありません。

ミスをあぶり出すには、もっと洗練された方法を使わないといけません。その方法には次のものがあります。

○簡単な検査法で裏付けを取る

○常識で見直す・桁《けた》を見直す
○実物を使う・様子をイメージする・たとえてみる
○極端な条件でも通用するか点検する
○時間を空けて見直す
○答えから問題へとさかのぼる
○「コルモゴロフ複雑性」の小さい解き方を選ぶ
○連想記憶を味方につける
○出題者の事情から問題の弱点を予想する

これらの方法を順を追って説明しましょう。

簡単な検査法で裏付けを取る

「問題を解いたら確認のために、もう1回解いてみよ」と言う人もいますが、これは効果的ではありません。問題を2回目に解くときは、1回目に自分が出した答えを知っていますから、知らず知らずのうちにそれに合わせようとします。先入観に引きずられるのです。**1回目に間違えている人は、2回目も同じ間違いをするだけです。**

「問題を解いたら確認のために、別の解き方をしてみよ」という対策はどうでしょう？1つの解き方を思いつくのも大変なのに、別の解き方まで考案するのは大変です。しかも、ただでさえ時間が短いテストでは、2度解く余裕はないでしょう。

現実的な対策は、「**問題を解いたら確認のために、別の簡単な方法で、正誤を判定してみよ**」ということになります。正しさの裏付けを取るのです。

1 「偶奇性」と「3・5・9・10倍数」のチェック

簡単な裏取りの代表は「偶奇性」のチェックです。計算の答えが、偶数でなければ計算間違いであるとか、奇数でなければならないという法則が使える場合があります。この法則の点検は簡単なので、いちいち計算し直さなくても、答えの間違いに気付けます。

たとえば、「偶数＋偶数＝偶数」という法則があります。よって、「2＋4＝7」は、本当の正解は何なのか以前の話で、法則に違反していますから間違いだと気が付きます。

算数の検算でよく使われる法則は次のものがあります。

- 「何かの数×偶数＝偶数」です。よって、「123×8＝983」は、これが偶数になっておらず、この法則に合わないので間違いだと分かります。
- 「3の倍数は、すべての桁の数字を足し算した数も3の倍数になる」。つまり、123は1＋2＋3＝6という計算をしてみると6は3の倍数なので、もともとの123も3の倍数だと分かります。

○「何かの数×3＝3の倍数」です。よって、「27×3＝61」は、61が6＋1＝7で3の倍数になっていないので、間違いです。

○「5の倍数は、1の位が、5か0のどちらかしかない」。よって、「17×5＝84」は間違いです。

○「9の倍数は、すべての桁の数字を足し算した数も9の倍数になる」。つまり、567は5＋6＋7＝18という計算をしてみると18が9の倍数なので、もともとの567も9の倍数に違いありません。

○「10の倍数は、1の位が、必ず0になる」。よって、「17×10＝173」は間違いです。

要するに、「**答えは何かの倍数になるはずだけれど、そうなっているか**」という点をチェックするのです。この点検を「**倍数判定**」といいます。2・3・5・9・10の倍数判定は、とても簡単にできるので、計算結果の検算では非常に重宝します。

ちょっと練習してみましょう。57を考えてみてください。5＋7＝12であり、12は3の倍数ですから、もともとの57も3の倍数だと、数学者なら一瞬で見抜けるものだと思いませんか？　ところが、グロタンディーク（1928〜2014）というフランスの高名な数学者が、とある講演をしていたとき、57は3の倍数ではないと間違えたエピソードがあります。数学者は、数学の理論に目を向けているものであって、計算には必ずしも慣れているわけではないのです。

②「対称性」のチェック

数学のテストではしばしば「対称性」が検算に使われます。たとえば、$y=x^2$のグラフは、y軸《じく》を中心として左右対称となっています。**つまり、右の世界（xがプラスの世界）で起こることは、左の世界（xがマイナスの世界）でも同じように起きないと、対称が崩れてしまい、つじつまが合わないわけです。**

ここで、$y=9$を満たすxは何かと問われたら、おなじみの$x=3$は思いつきやすいです。対称性の力を借りると、右の世界で起きたことは左でも起こるはずなので、$x=-3$も答えでないとおかしいと気が付きます。

ちょっと高度な話では、係数がすべて実数の方程式の解は、場合によっては虚数を含むことになりますが、それは共役複素数同士で対称でなければなりません。

$x^2 + x + 1 = 0$

の1つの解が

$$\frac{-1+i\sqrt{3}}{2}$$

だと分かったら、その共役複素数である

$$\frac{-1-i\sqrt{3}}{2}$$

も同時に解であるに違いないといえるのです。

3 「保存則」のチェック

物理学や化学では「保存則」が検算の役に立ちます。

○質量保存の法則：外とは物質の出入りがない完全な密室の中で、いろいろな薬品を混ぜ合わせて化学反応させたとしても、物質の漏れも出入りもないのだから、全体の質量は変わるはずがない。最初に密室内の物質が合計で１００グラムあったとすれば、その後、密室内で何をやろうが、全体の質量は１００グラムのままである。

○原子数の保存則（と本来呼ぶべきだが、なぜか世間ではあまり呼ばない法則）：普通の化学反応では原子は増えたり減ったり、別の元素に変わったりしない。最初、密室に酸素原子が１００個あったのなら、その後、いろいろ化学反応を繰り返しても、酸素原子の数は１００個のままである。

○エネルギー保存の法則：外とは物質や光、力の出入りがない完全な密室の中で、いろいろな動作や反応をしたとしても、エネルギーの総量は変わらない。最初に、１００ジュールの電気エネルギーを持った電池があり、それを使って電熱器で熱を出させた。電池にある電気エネルギーが60ジュールまで目減りしたとするなら、電熱器からは40ジュールの熱エネルギーが出たはずである。エネルギーは種類は変わるものの、密室に隔離されているかぎり、総合計は変わらない。

○運動量保存の法則：物の動きで保存する量がある。スケートリンクの上で、AさんとBさんが立ち止まっている。今、AさんがBさんを突き飛ばした。Bさんが右に動くとしたら、Aさんは左に動くことになる。

○角運動量保存の法則：回転の軸回りの動きで保存する量がある。

これらの法則を使って、自分の計算結果が、保存則に違反していないか点検するのです。保存則は、物理学のような難しい問題だけで使うとは限りません。むしろ、難関中学の入試などの若い学年向けの問題で使われます。たとえば、「甲子園の高校野球で32校が出場したら、試合はいくつ行われるか？」という問題は、「1試合につき1校が負けて去る。最後の1校が勝ち残るまでやるから、全試合数は31」と考えると楽です。「終了済みの試合数と、残存している校数の和は変わらない」という保存則のおかげです。

4 次元のチェック

数量には単位があります。「1グラム」や「2時間」というように、何の量であるかを表す単位が付いて回ります。

単位が異なる同士を、足したり引いたりすることは、その意味を考えると間違いだといえます。「1グラム＋2時間＝？」という式は、何を言っているのか意味不明です。自分の答案に、このような次元が合っていない式が出てきてしまったら、どこかで間違えている証拠です。安直に「3」と答えるようでは、テストで良い点は取れません。

小学校低学年の算数では、単位の問題が起こらないような計算をします。よって、「1＋2＝3」はどんなときでもマルをもらえるのです。しかし、単位を習うようになると、「1グラム＋2時間＝3」のように、意味として間違いだからバツという事例にぶつかります。

単位を含む数量の掛け算や割り算となると、さらにややこしくなります。

問題①

太郎君は8キロメートルの距離を2時間で歩きました。太郎君の速度は時速いくらですか？

このような問題をよく見かけます。長年テストを受けてきた経験に基づけば、答えを導く式は、「8＋2」、「8－2」、「8×2」、「8÷2」のどれかではないかと思われます。

まず、足し算と引き算は、先ほど述べた通り、次元が違うもの同士では意味不明になるので、答えではありえないと、すぐに捨てることができます。

残るは、掛け算と割り算の2択です。時速の単位は「キロメートル÷時間」というものです。つまり、時間で割れと言っているわけです。8÷2＝4で**時速4キロメートル**が正解です。単位を暗記していれば、この手が使えます。

小学校の算数なら複雑な単位はあまり登場しませんが、高校の物理ともなると、暗記した方が得な場合が増えてきます。たとえば、エネルギーの単位「ジュール」は（キログラム）×（メートル）×（メートル）÷（秒）÷（秒）という成り立ちです。エネルギーについての自分の答案がこの構成にぴったり一致するかチェックしてみるわけです。キログラムを1回も使っていないとか、秒が割り算ではなく掛け算の側に交じっているという不一致があれば、どこかで式変形を間違えたに違いありません。

高校で習う、指数関数や三角関数は、次元のない数(無次元数)しか引数(入力)として受け付けません。「2の3乗」や「コサイン4」は計算可能ですが、「2の3メートル乗」や「コサイン4ボルト」は意味不明になりダメです。これらの条件も答案の点検に使えます。なお、角度は無次元数なので、「コサイン30度」や「コサイン5ラジアン」と角度を引数にすることは問題ありません。

まとめ

○テストの点数の良い人は、間違い探しの見直しがうまい。
○簡単で速くできる間違いチェックの方法がある。
○偶奇性、対称性、保存則、単位が、間違いをあぶり出してくれる。

常識で見直す・桁を見直す

いったん答えにたどり着いたら、その意味を考え直すことが点検にとって大事です。「太郎君の速度はいくつですか？」という問題で、答えが時速1億キロメートルと出たとします。この検算をする前に、常識を使って意味を考えてみてください。1億キロメートルという途方もない距離を1時間で移動できる人はいません。よって、この答えは非常識なことを言っていると気付きます。おそらく答えは間違っているのでしょう。

精密な計算がなくても、数量の桁やざっくりとした大きさは、常識だけでチェックできます。

1986年に、アメリカの宇宙船スペースシャトル・チャレンジャー号が空中で大爆発して粉々になるという事故がありました。事故調査委員会が立ち上げられ、ノーベル賞物理学者ファインマン（1918〜88）がその一員に選ばれました。調査にてファインマンが担当の技術者に「重大事故はどれくらいの確率で起こると想定しているか？」と尋ねたところ、「ゼロだ。事故はありえない」と答えたそうです。さすがにそれでは自分でも嘘《うそ》くさいと思ったのか、「いや、事故が起こる確率は10万回に1回である」と言い直しました。とはいえ、274年は約10万日ですから、274年間毎日1台ロケットを打ち上げても、事故はたったの1回しか起こらないと言っていることになります。それほど優秀なはずはありません。数字の詳細まで考えなくても、その桁外れな大きさだけで大法螺《おおぼら》だと分かります。

こうした数字の嘘を見抜く力は、科学者や技術者向けというよりも、経営者にこそ必要な能力です。経営者には、大法螺を吹いて近寄ってくる人間が多いものです。そんな手合いには、桁の異常さを指摘して、さっさと撃退しないといけません。

常識による検算テクニックを使えなくしようとして、わざと非常識な値を正解にする出題者もいるでしょう。しかし、これは出題者にとっては危険です。時速20億キロメートルを正解にしようとすると、そこまで高速に動く物体は相対性理論によれば存在しないため、問題自体が間違いとなり、出題ミスとなってしまいます。

英語の和訳問題では、元の英文が常識的な内容では、文法や単語がしっかり理解できていない人であっても、全体的な雰囲気から推測して、正答にたどり着けてしまいます。そこでわざと、「太郎は結婚式にフライパンを持っていきました」といった不自然な文を出題する人もいます。

ただ、言葉というものは意味の曖昧《あいまい》さを含むので、あまりに異様な内容にすると、翻訳が不可能になってしまいます。たとえば、動詞の cut は、過去形も cut ですから、"I cut." は「私は切る」なのか「私は切った」なのか、その文だけでは見分けがつきません。**イメージが湧かない文を正確に翻訳することはできないのです。**不自然文作戦は悪問を作りがちです。

まとめ

○精密な検算より、桁の異常さでミスに気付けることがある。

○答えの意味を常識でとらえ直そう。

実物を使う・様子をイメージする・たとえてみる

人間の頭脳は頻繁《ひんぱん》にミスを犯します。**計算問題は、頭の中だけで考えるとミスが多くなります。**小学校低学年では、おはじきを使って足し算や引き算を計算しますが、これは大人になってからも使うべきといえます。それくらい、大人の頭脳も計算に弱いのです。

例題を使って、人間の間違えやすさを見てみましょう。

問題②—1

ある人が、馬1頭を60ドルで買いました。すると、友人がその馬を欲しいと言うので、70ドルで売りました。だが、だんだんと売るべきではなかったと思えてきて、友人から馬を80ドルで買い戻しました。さらに後日、友人がどうしてもあの馬が欲しいと言うので、90ドルで売りました。この一連の取引で何ドル儲《もう》けたでしょうか？

最初の転売の差益は10ドルでした。次に高値で買い戻したときは、差損が10ドル生じました。最後の転売では10ドルの差益です。この3段階を通算すれば、全体としては10ドルの儲けであると思えます。そう答える人が多いのですが、実は間違いです。

正解は、**20ドルの儲け**です。答えに納得できない人は、馬のぬいぐるみと、おはじきを使って、取引を再現してみてください。ぬいぐるみがないなら、漫画を描いてみてください。たしかに20ドル儲かるのです。

ここで、問題の数学的な構造はそのままにしつつ、見た目だけを変形してみましょう。

問題②―2

ある人が、馬1頭を60ドルで買いました。すると、友人がその馬を欲しいと言うので、70ドルで売りました。別の日、テレビを80ドルで買いました。すると、友人がそのテレビが欲しいと言うので、90ドルで売りました。この一連の取引で何ドル儲けたでしょうか？

馬の転売で10ドルの得。テレビの転売で10ドルの得。よって**合計20ドルの得**。この答えは納得しやすいですね。

馬とテレビとして切り分けるだけで、話がずいぶん簡単になりました。もともとの問題で間違えた人も、こう変形すれば絶対に間違えないことでしょう。

間違えるか、否《いな》かの分岐点は、内容のとらえ方にあったのだといえます。ちょっとした工夫で、ものの見方を簡単にできれば、誰も間違えない問題に化けるのです。

人間は、売り買い、貸し借り、プラスとマイナス、割る数と割られる数といった、2方向の現象を正しくとらえることが苦手です。「マイナス掛けるマイナスはプラスとはどういうことか?」や、「割る数が分数とはどういうことか?」といった程度にややこしい問題はイメージしにくいものです。古典落語の『壺算《つぼざん》』という噺《はなし》（次ページ参照）も、売り買いで頭が混乱するという不思議な現象が生み出す笑いがテーマとなっています。簿記の世界では、この混乱を避けるため「借方・貸方」という区分けをがっちり固めて、ミスをしないようにルールでしばっています。

難しいことを勉強するには、実物を使って体験することが欠かせません。実物なしで、

Column

落語『壺算』のあらすじ

壺屋さんが、大きな壺を6円、小さな壺を3円で売っていました。

ある客が、小さな壺を3円で買って出ていきましたが、すぐに引き返してきて、「間違えた。大きな壺の方を買わなきゃいけなかった」と言います。そこで、売ったばかりの小さな壺を3円で引き取ることにしました。

すると、客は「それでは」と、大きな壺を勝手に持っていこうとするのです。店主はお代を払ってと言いますが、客は「最初に小さな壺を買ったときに、店主は代金3円を受け取った。そして今、小さな壺を3円で引き取ることになり、それも店主は受け取った。合計すれば店主は6円を受け取っている。ちょうど大きな壺の値段になるではないか。何が不足か？」と言いくるめてしまいます。

頭の中だけでイメージしようとしても、なかなかうまくいきません。**イメージの湧かない問題に対して正しく答えるには、経験するのが手っ取り早いです。「百聞は一見に如《し》かず」です。**

高度な科学技術は、ときに直感に反します。大型の建物では、炎で水を沸かして冷気を作るというガス冷房装置が多く使われています。何かが中で燃えている機械から、キンキンに冷えた風が吹いてきます。これは、実際に装置が運転する様子を見てみないと、信じがたいと思います。

また、回転するコマが倒れないのも、よく考えると不可解な現象です。その理由は大学で勉強できますが、数式だけで理解しようとしても、すんなり納得しがたいものがあります。そこでわざわざコマの実験教材を使って実験しながら説明します。

高速に回転しているコマの回転軸の向きを変えようと押すと、コマの軸は押しの力をかわそうと動きます。前から押したら左右に逃げ、右から押したら前後に逃げます。物体は力を受けたからといって、素直に力の向きに動くとは限らないということがポイントなのです。コマにとっては力をやり過ごすことが最重要事項であり、重力の言いなりにパッタり倒れるということはしません。これを数式で書くとややこしいのですが、自分で触ってみれば、力をかわしているだけのことなんだと実感できます。

体験の大切さは理系科目に限った話ではありません。

歴史学では「長い19世紀」という概念があります。普通、19世紀とは１８０１年〜１９００年までの期間を指しますが、あえて前後を延長して、１７８９年〜１９１４年の１２５年間でくくった方が、時代を理解するのに都合がよいのです。フランス大革命から第一次世界大戦までの戦間期であって、ヨーロッパの内側に限っていえば、生活が豊かになり、平和が比較的保たれた時代といえます。

歴史学者の猿《さる》谷《や》要《かなめ》は、オーストリアのウィーンの美術館で画家クリムトの代表作『接《せっ》吻《ぷん》』を見たとき、いかにも19世紀らしい作品だと感じたそうです。ロマンチックな題材を絢爛《けんらん》かつ劇的に表現することは、19世紀の美術の特徴でした。ふと、絵のそばに掲げられた説明書きに目を移すと、完成年は１９０８年となっていて、驚いたと言っています。世界戦争が目前に迫っているのに、ウィーンの社会は相も変わらずロマンチックな絵を愛《め》でられるほど、呑気《のんき》だったと分かります。「長い19世紀」は本当で、１９０８年の社会の雰囲気はまだ19世紀から抜け出せていなかったと実感できます。
どんなに難しいことであっても、一度体験してしまえば、話の見通しがぐっとよくなります。**最近は、教育用の動画がネット上に大量に配信されていますから、自分の知らない不思議な現象や、遠い場所で起きた過去の出来事も、簡単に見ることができます。**それが体感の手助けになるでしょう。

まとめ

○問題の状況をイメージできれば、経験が働いて間違えない。
○イメージしやすくするための工夫をしよう。
○誰でも、慣れていないことは苦手。百聞は一見に如かず。体験しよう。

極端な条件でも通用するか点検する

自分の考えが本当に正しいのであれば、かなり極端な状況下であっても成り立つはずです。**極端な場合をチェックすることで、答えの正誤を見直すことができます。**

問題③

ある数学の問題を解いたところ、答えが

$y = x^2 + 5$

になった。これで正しいのか不安である。そこで、極端な例で点検してみよう。

検算が極端に簡単になる場合を見てみましょう。**xの値がゼロ**なら一番簡単で、これを代入してみましょう。すると、

$y = 5$

となります。この計算結果は、「xがゼロのときは、yは5だ」といっています。元の問題に戻って、それでつじつまが合うかをチェックしましょう。

問題④—1《「モンティ・ホール問題」と呼ばれる有名な問題》

あるテレビ番組で、こういうゲームがあった。

3本のくじがある。1本は当たりで、2本はハズレである。

あなたは、その中の1本を選ぶ。

さて、あなたが選ばなかった2本のくじに目を向けよう。これらのうち少なくとも1本はハズレであるはずだ。そこで、司会者は残った2本のくじの中身を確かめて、「この1本はハズレでした」と教えてくれる。

さらに司会者は、「今からくじを選び直してもいいですよ」と申し出る。

選び直す方が、当たる確率は上がるか？


この問題について、ある学者が雑誌のコラムで「選び直す方が確率は上がる」と書いたところ、「そんなはずはない」という投書が読者から大量に送られてきたといいます。

ではここで、問題を極端に変形して考えてみましょう。

問題④—2《極端版モンティ・ホール問題》

100本のくじがある。1本だけが当たりで、残りはハズレである。

あなたは、その中から1本を選べる。

さて、あなたが選ばなかった99本のくじのうち少なくとも98本はハズレである。そこで、司会者は残りのくじの中身を確かめて、「この98本のくじはハズレでした」と教えてくれる。

さらに司会者は、「今からくじを選び直してもいいですよ」と申し出る。

選び直す方が、当たる確率は上がるか？


選ばれなかった99本のくじの集まりが選別されて、たった1本だけになります。仲間の大半が消されていくのに、なぜかしぶとく残る1本は、かなり特殊な存在だと思えます。

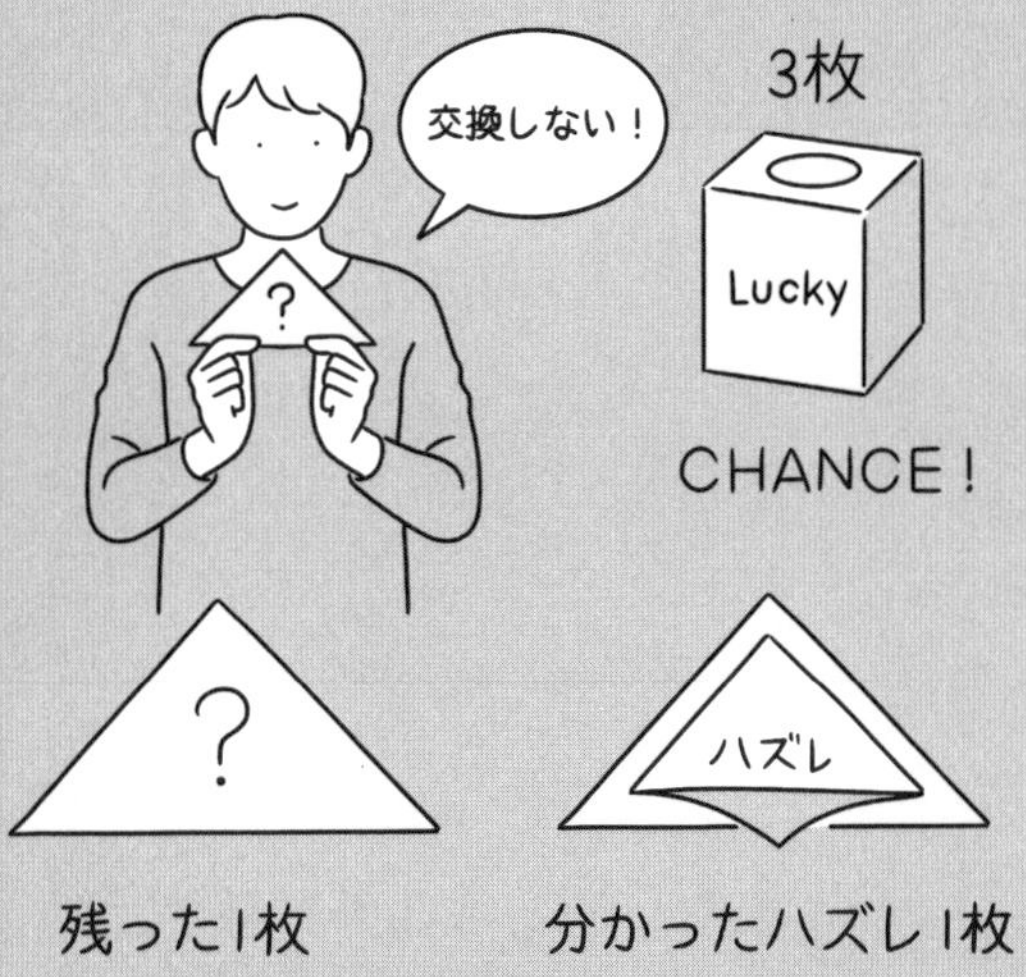
交換しない！
3枚
Lucky
CHANCE！
?
ハズレ
残った1枚
分かったハズレ1枚

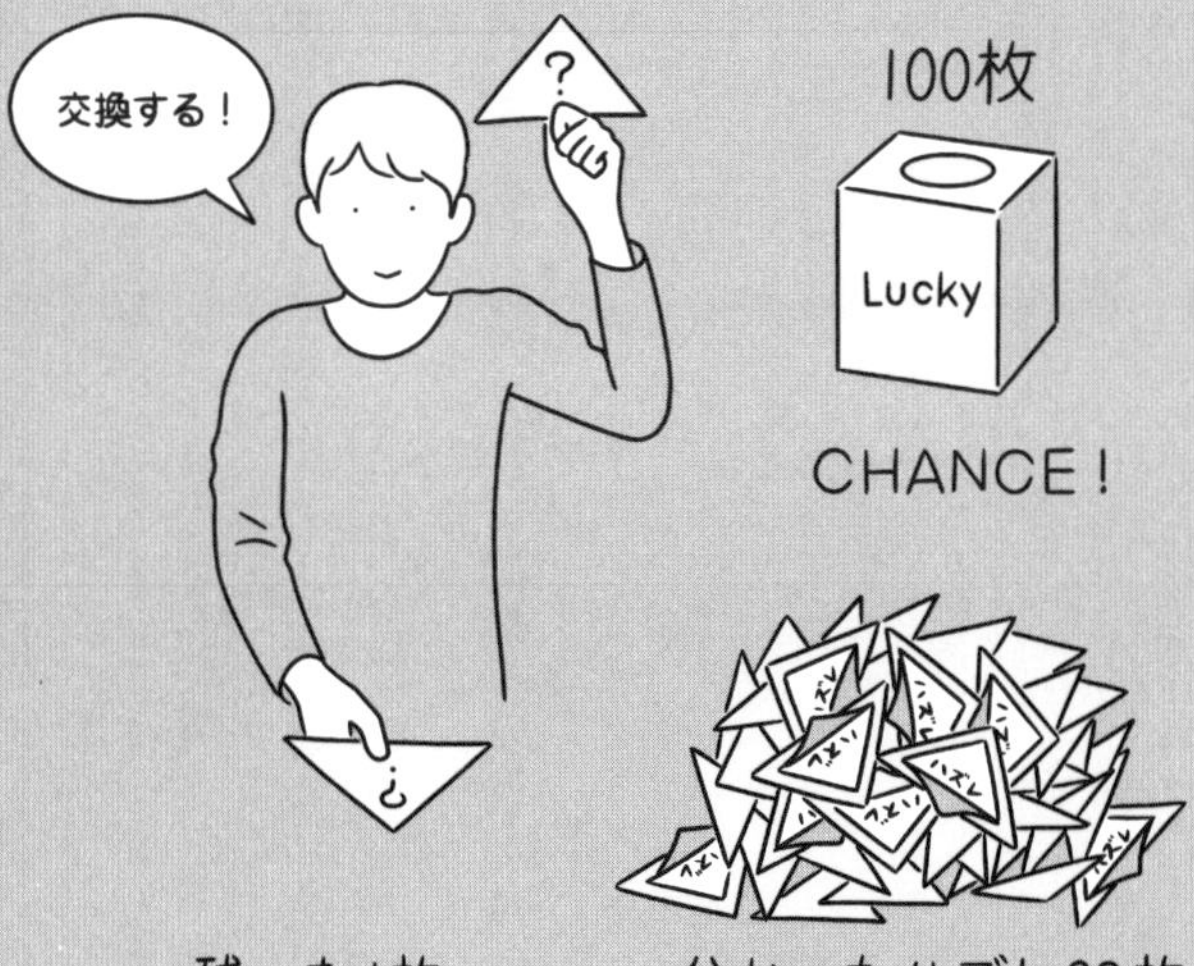
交換する！
100枚
Lucky
CHANCE！
残った1枚
分かったハズレ98枚

当たりくじでないと、なかなかこうはならないものです。おそらく当たりくじだと推定してよいでしょう。だから、**それに乗り換えるべき**なのです。

こう考えれば、「選び直す方が確率は上がる」が正しいことは、別に数学を使わないでも直感的に分かります。もともとはかなりの難問でしたが、極端な思考を使えば真相がぱっと分かります。

極端な状況を考える作戦は、テストではたまにしか使いませんが、研究の現場では非常に頻繁に使われます。

問題⑤

「物は、空中に放り出すと、下に落ちる」という意見は正しいか？

リンゴを、1メートルの高さから手放すと、下に落ちる。
リンゴを、100メートルの高さから手放しても、下に落ちる。
では、極端なところまで考えてみよう。

リンゴを、月の高さから手放すと、落ちるだろうか？　月は落ちてきていない。だとすればリンゴだけが落ちると考えるのは変である。

「物は、空中に放り出すと、下に落ちる」という意見はどこかに欠陥がある。

これは、吉野源三郎《よしのげんざぶろう》の著書『君たちはどう生きるか』の中に出てくる話です。ニュートン（1642〜1727）は、リンゴが落ちるのを見て「万有引力の法則」を発見したのだといわれています。その話が本当だとしても、当たり前の現象を見たぐらいで大発見ができるはずはありません。ニュートンは、単に現象を見ただけではなく、その延長にある極端な場合にまで考えを広げたところが偉大なのです。「物は下に落ちる」という常識に、人類史上初めて疑いを持ち、本当の法則を探す気になったわけです。

まとめ

○正しい答えならば、極端な状況でも成り立つはずだ。

○極端に検算しやすい場合を考えて、間違いがないか点検する。

○研究では、極端な例で考えてみる作戦が、よく使われる。

時間を空けて見直す

問題を解けたと思えても、間違えているかもしれません。もう一度見直して点検する方がよいのです。

しかし、解いたすぐ後に見直すことは、間違いをろくに発見できず無駄になりがちです。点検は、「これは間違っているに違いない」と疑いの目を持っていないと役に立ちません。「多分合っているはず」と先入観を持っていては、どうしても点検が甘くなります。ついさっきまで、自分が「これで正しいのだ」と確信していた答えを、本心から疑ってかかることは難しいです。

先入観が消えるように、解答から点検まで、なるべく時間を空けることが、一つの対策

です。「ラブレターは書いてもすぐに出すな。一晩置いて、朝に読み返せ」といいます。時間が空くと、冷静になれて、問題点に気が付けるようになるものです。

アメリカの自動車会社ゼネラルモーターズにスローンという経営者がいました。彼は経営の天才で、強力なライバル会社を追い抜き、会社を世界一に押し上げました。スローンは、取締役会にて役員がみんな賛成した議案は、すぐに議決せず、次回に持ち越すことがあったそうです。反対意見が出ていないようでは、議論がまだ浅いのではないかと疑ったわけです。持ち越された議案を、役員が冷静になって改めて考えるチャンスを作ったのでした。参加者全員が乗り気の議案に待ったをかけるには、かなりの見識と度胸が必要ですが、それができたのがスローンの偉大なところです。

考えは時間を置くと熟成するのです。その時間ずっと考え続けなくてもよいというのがトリックです。むしろ別のことを考えて、細かいことを忘れた方が先入観が消えて、厳しく見直しできるので望ましいといえます。

テストでは、あちこちの問題に浮気する方が有利です。**難しい問題にぶつかったら、とりあえずざっと目を通すぐらいにして深入りせず、さっさと他のやさしい問題に移動しま**

しょう。やがては再びその難問に戻ってくるわけですが、時間が空いていれば、考えが熟成されて名案が思いついたり、先入観が消えて最初に見たときとは別の突破口が見つかるチャンスが広がります。

特に大学入試の問題は、頻出問題のパターンにはまったものが大半です。あたかも難問に見えるのは、どのパターンであるか見分けがつかないだけかもしれません。視点を変えれば問題の正体を見抜くことができるかもしれません。

一般的な研究者は、研究室で考えているときは、ろくなアイデアは思いつきません。その場で答えが思いつける程度に簡単な問題なら、誰か他の人がとっくにやっつけてしまっているはずです。そういう小物は研究の現場にはありません。帰宅して寝る頃《ころ》には、時間が経ったおかげで、名案が浮かぶという現象が起こります。寝床から飛び起きて、すぐにメモを取るということになります。

まとめ

○間を置くと、人間は賢くなる。

○答えの点検は、時間を空けてからする。

○難問はいったん読むだけで放置。時間を空けてもう一度見ると、正体を見抜けることがある。

答えから問題へとさかのぼる

問題から答えを導くことは難しいですが、答えから問題にさかのぼることは簡単です。答えの方向に進むことは難しいのに、逆方向に考えることは容易という現象は、学術用語で「非対称性」や「一方向性」といいます。

問題⑥《中国剰余問題（中国の古代の数学書で出題されているので、こう名付けられている）》

2で割ると余りが1で、3で割ると余りが2で、5で割ると余りが3である数は何か？

当てずっぽうに、いろいろな数を試してみると**23が答え**であることが分かります。答えを見つけるには手間がかかります。しかしいったん23が答えではないかと知ってしまえば、それが問題の条件を満たすかを検算することは簡単です。

難しい問題に手こずり時間を使いすぎてしまうと、遅れを挽回《ばんかい》しようとして、答えの確認を省略したくなります。しかし、**問題が難しいからといって、確認にも時間がかかるとは限りません**。簡単に確認できるなら、さっさと点検した方がよいといえます。

答えから問題へのさかのぼりで気を付けないといけないのが、**「十分性」と「必要性」のすき間の罠《わな》**です。

先の問題で23は答えでした。23は答えとしての資格を十分に満たしていることは分かります。しかし、答えは23だけなのでしょうか？　実は、53や83なども答えの資格を持っています。答えは無数に存在しています。「答えは23であることが必要」という「必要性」はないのです。

答えから問題へのさかのぼり点検は、資格の十分性は確かめられますが、必要性の点検ができるとは限りません。問題が、「答えの1例だけでなく、一般解(すべての答えのこと)を求めよ」と言ってきた場合は、点検だけではダメで、しっかり考えないといけないのです。

まとめ

○問題が難しくても、答えの確認は楽ということが多い。確認をおこたるな。
○答えの十分性は確かめられても、答えはそれだけかは別の話。

「コルモゴロフ複雑性」の小さい解き方を選ぶ

問題は、うまい解き方をすれば簡単になり、ミスも減ります。

問題⑦

1から100までの整数を全部足し算すると、答えはいくつですか？

1＋2＋3＋……99＋100＝？

工夫もせずに、頭から順番に計算していくと、めちゃくちゃ面倒ですし、おそらく途中で計算を間違えると思います。

理系の人々には有名な話ですが、ドイツの天才数学者ガウス（1777〜1855）は7歳のときに、この問題の答えが5050であることを即答したという逸話《いつわ》があります。

足し算は順番を変えても答えが変わらないので、好きな順番で計算に取り掛かってよいのです。そこで、一番都合のよい順番にしてみます。

(1＋100)＋(2＋99)＋(3＋98)＋……＋(50＋51)

という2人組でまとめてしまいます。この2人組の値はどれも101です。つまり、

101＋101＋101＋……＋101

と、すごく簡単な式になります。2人組は50個あるので、全体の答えは

101 × 50 = 5050

だと分かります。

私たちはしばしば「あれは難題だ」などと言いますが、これは厳密にいえば正しくないのです。**問題それ自体に難しさというものはなくて、うまいやり方を知っているかどうかが難しさを決めるというのが、真相です。**

出題する側の心理としては、

○問題があまり簡単すぎると、誰もが解けてしまって、成績に差がつかない。
○しかし、本当に難しい問題では、誰もテスト時間内で解けない。

というジレンマに、いつも悩まされます。そこで、

○不勉強な人は、平凡なやり方に飛びついてしまい、時間内に解けない。
○勉強熱心な人は、うまいやり方を知っているので、簡単にミスもなく解ける。

という問題を出そうとするものです。

問題を難しくしたいのなら、多くの人が平凡なやり方を選ぶように誘導します。

問題⑧

濃度2パーセントの食塩水が2リットルあります。これを2等分して、1リットルずつに分けました。分けた後の濃度は何パーセントですか?

この問題で、「濃度は1パーセントである」と間違った答えをする生徒が、かなりいるそうです。「ほら2があちこちにあるでしょう。2を2等分したんだよ」という点を強調して、2で割るように罠をしかけているのです。

こういう手口を使ったテストは、算数の能力ではなくて、ひっかけ問題への用心深さを測っているだけではないでしょうか。この問題の結果を根拠に、「最近の生徒は濃度の計算ができない」と言われても賛成できません。

問題をやさしくしたいのなら、うまいやり方のヒントを出します。長い問題に(1)や(2)といった小問が付いている場合、その部分で誘導されている解き方が、問題全体を簡単に解く方法になるように作られています。

さて、「うまいやり方」とは、**科学的にいえば、簡潔で無駄がない論理の展開であるといえます。答案が、短く終わって、式変形などの手間が少なく、なおかつ内容が正しいものが、「うまいやり方」です。**

「物事を表現するのに必要な言葉の量」を、科学では「コルモゴロフ複雑性」といいます。短い答案は、コルモゴロフ複雑性が小さいわけです。コルモゴロフ複雑性が小さくなる解き方を選ぶことが、ミス予防の一つのコツといえます。

たとえ同じ結論にたどり着けているにしても、解き方によって、コルモゴロフ複雑性、つまり答案に要する言葉の長さが違うことがありえるということが、やり方に良し悪しの差が生まれる原因になっています。

答案が長くなる、ダメなやり方の代表が、「この場合はこう。あの場合はこう。そして、あの場合は……」と、場合をやたらに列挙してしまう解き方です。このやり方でも正解にたどり着けることも多いのですが、あまりに長すぎる場合は間違いなのではないかと疑った方がいいでしょう。

そんな場合、大学入試問題では、代わりに背理法や対偶を使うことが常套《じょうとう》手段となっています。

背理法とは、あえて主張したいこととは真逆のことを仮定し、それでは矛盾が起こることを示して、それによって主張したいことが正しいことを証明する論法です。

問題⑨

2の平方根は無理数であることを証明せよ。

〈背理法による答え〉

2の平方根が有理数であると仮定する。つまり、互いに素な整数であって

$$\sqrt{2}=\frac{A}{B}$$

という形で表すことができるAとBが存在すると仮定する。

この式を変形すると

$$2B^2=A^2$$

となる。この左辺は偶数だから、右辺のA^2も偶数である。それはつまりA自体も偶数でなければならない。すると右辺全体であるA^{2}は4の倍数である。ならば左辺全体も4の倍数ということだから、B^2は偶数でなければならず、Bは偶数である。しかし、AもBも共に偶数となっては、「互いに素」であるという条件に矛盾する。よって最初の仮定は成り立たないと分かり、そもそも2の平方根は有理数ではないといえる。証明終わり。

対偶とは、「AならばB」という主張について、「BでなければAではない」と変形した主張のことをいいます。「焼肉はおいしい」の対偶は、「おいしくなければ焼肉ではない」

です。対偶は、派手に変形したとはいえ、元と同じ内容をいっています。この性質を利用して、両者のうち、都合のよい方に乗り換えるという論法が使えます。

問題⑩

3の倍数でなければ6の倍数ではないことを証明せよ。

〈対偶を経由する答え〉

「6の倍数ならば3の倍数である」が対偶である。こちらを証明する。

すべての6の倍数は、ある整数nが存在して、$6\times n$という形で表せる。これは$3\times(2\times n)$と変形できるから、3の倍数であることが分かる。よって、対偶が成立するので、もともとの証明も成立する。証明終わり。

もともとの問題が「○○ではない」という否定形で書かれていると、扱いづらいものです。「xは3の倍数ではないものとする」と話を切り出しても、なんの糸口も見えません。

そんなときに対偶を使うと肯定形《こうていけい》にひっくり返せて「yは6の倍数だとする」と具体的なところから出発できます。

まとめ

○難しそうな問題であっても、うまいやり方を使えば簡単に解ける。ふだんから勉強して、やり方を知っていることが大事。

○難問は、真正面から平凡に攻めると、うまく解けない。出題者が誘導しているなら、その方向に進めば解ける。

○攻め方を変える手段として、背理法や対偶がしばしば使われる。

連想記憶を味方につける

森鷗外《もりおうがい》は『ヰタ・セクスアリス』の中で、**単語を覚えるには語源からたどるのが楽だと**述べています。

英単語の多くは、語幹と接頭辞の組み合わせでできています。たとえば、scriptは「書かれたもの」を意味します。よってprescriptionやconscriptといった語幹にscriptを持つ単語は、何か書くことに関係した言葉だろうと類推できます。接頭辞のpreやconの意味を考えると、「前もって書くこと」と「一緒に書くこと」という意味が浮かび上がってきます。この2語は、薬を出す前に書く「処方箋《しょほうせん》」と、対象者の名前を一緒に名簿に書く「徴兵」という意味なので、推測がそこそこ当たっているといえます。

少数の語幹と接頭辞を覚えておくだけでも、その組み合わせは膨大ですから、かなり広い単語をカバーできるようになります。

組み合わせ記憶術をもっとも使いやすいのは、漢字でしょう。漢字は部品の組み合わせ

できていることが多いのです。「思」という漢字は「心」に関係するものだろうと当て推量できますし、「銚」は「兆」と同じく「チョウ」と読むのではないかと類推できます。「召喚令状《しょうかんれいじょう》」は、使われている漢字から、呼び寄せる命令の書類だと推定ができますが、これは英語だとsubpoenaと難しく書き、全体の意味を部分から推し量ることは、古英語の専門家でないかぎり難しく不便です。

漢字にも、読み方や意味を探ることが難しいものが多々あります。「敬虔《けいけん》」の「虔」は、その部分である「文」とはまったく関係のない「ケン」という音ですから、辞書を見ずに書けと言われてもまず書けるものではありません。「若」は、「わかい」という意味だけでなく、「傍若無人《ぼうじゃくぶじん》（かたわらに人無きがごとし）」の「〜ごとし」という、まったく違った意味も持ち合わせています。こうした奇妙な漢字は、しばしばひっかけ問題に使われます。

「完璧《かんぺき》」の2番目の文字は、よく書き間違えてしまいますが「壁」ではなく、「璧」、つまり宝石を意味する漢字です。これは本来は「完璧帰趙《きちょう》」という四字熟語で、中国の春秋戦国時代に藺相如《りんしょうじょ》という知恵者が、趙国が秦《しん》国から宝石を奪われそうになったピンチを救ったエピソードから生まれた言葉です。その故事を覚えておけば「完璧」は書き間違えずに済みます。

「完璧帰趙」の詳しいいきさつは、歴史書『史記』の「廉頗藺相如列伝《れんぱりんしょうじょれつでん》」に書いてありま す。そこを読み進めると後日談として「刎頸《ふんけい》の交わり」という言葉の発端となるエピソードが出てきます。**1つの物語を読むだけで、2つの言葉がセットになって覚えられるので効率がよいのです。**「刎頸の交わり」は、現代の日本では見慣れない言葉ですが、1970年代に起きたロッキード事件の際に登場して、当時は流行語になりました。こうして、戦後史の知識まで、どんどんと芋《いも》づる式に増やしていけます。かなり昔であっても、記憶に強く残るような大きな事件があった日ならば、自分がどこで何をしていたかは覚えているものです。逆に、わずか10日前であっても、それが平凡な一日であったら、どんな日であったか思い出せません。**印象の強い物事に遭遇したら、それに多くの物事を関連させて、たくさん記憶するように、脳は働きます。**

連想記憶の出発点に、なるべく印象が強いものや自分の興味を引くことを設置することが、記憶を増やす近道です。

「本能寺の変」を覚えていれば、織田信長や明智光秀の名前も思い出すことができるでし

芋づる式に連想記憶

織田信長
(歴史)
信長が築城
安土城
(歴史)
城
城跡の記号
凸の形
(地図記号)
名古屋城
江戸城
名古屋城
大阪城
三大名城
(三大〇〇)
鯱鉾 (漢字)
魚おる
stone wall
うおおる
=
石垣
(英語)

ょう。事件の余波の「山崎の合戦」や「清洲会議《きよす》」も、話の流れで自《おの》ずと思い出されます。「本能寺の変」は、発生場所がはっきりしていて、具体的で劇的な出来事ですから、様子をイメージしやすく、記憶しやすいものです。そこで、「本能寺の変」のイメージを起点として、戦国時代の人名や出来事を芋づる式に覚えていけます。

かたや、目立った出来事がない時代は覚えにくいものです。たとえば、室町幕府の第4～6代の将軍の時代といわれても、人名は思い出せないし、何があったのかも知らない、ということになりがちです。何か記憶の取っ掛かりとなる人や出来事を見つけないと、覚えきれるものではありません。たとえば、能を大成した世阿弥はこの頃、佐渡島に流刑にされたりして大変な目にあっていますから、注目するのに手頃な人物といえます。世阿弥の伝記などを読めば、この時代の物事も覚えやすくなります。

まとめ

○連想記憶が人間の性《しょう》に合っている。

○由来を知ると、暗記は楽になる。

○語源、語幹、接頭辞の勉強は、語彙《ごい》を増やす秘訣《ひけつ》。

実用上の語彙力は暗記よりも柔軟性がメイン

日本のテストは一般には、たくさん暗記すれば高い点を取れるように作られていますが、暗記力ばかりを評価することでよいのかという批判はあります。**暗記量すなわち語彙力とは言い切れないものです。**アメリカでは語彙力について別の観点から測るテストがあります。

私がアメリカの大学の大学院に留学した際、GRE（Graduate Record Examination）という大学院入試共通テストを受けることになりました。それは英語と数理論理のパートから成っていました。数理論理は簡単なパズルのような問題なので、恐れるに足りません。アメリカの大学は、入試問題を簡単にして多くの学生を受け入れるものの、入学後に落第させてふるい落とす方式なのです。

一方、英語の方は留学生には非常に難しいテストです。たとえば、abscissaという単語が登場することがあります。これはグラフなどの「横座標」を意味する古色蒼然《こしょくそうぜん》とした単語で、よほど大きな辞書でなければ載っていません。今どきこの言葉を使っている理系の論文は皆無です。これほど珍しい単語までカバーしようとするなら、数万語を暗記せねばなりません。難問すぎて留学生は零点《れいてん》を取って当たり前なので、気にしないでよいと言われました。実際、私はさっぱり分からなかったので、マークシートをでたらめに塗りつぶしましたが、それで合格できました。

難しすぎるテストですが、誰も知らないような単語を意地悪で出題しているわけではありません。**分からない単語にぶつかったとしても、単語の意味を推定する能力や、文脈の意味を見誤らない能力をテストで測っているのです**。どんなに単語を暗記しても、いつかは分からない単語に出会います。それに対処する能力の方が大切だというのが、アメリカ式の発想のようです。

見慣れない難しい単語というのは、世間でろくに使われていないからそうなっているわけで、多くの場合は重要な単語ではありません。**話の大勢《たいせい》がつかめていれば、難しい用語を無視しても、実用上は問題ないのです。**

ある日、研究の議論をしていたとき、誰かが「カージナリティー（cardinality）」と言いました。カージナルといえば、心臓、中枢、枢機卿《すうききょう》、枢機卿の制服の色をした鳥、セントルイスのカージナルス球団などを思い浮かべましたが、どれも文脈に合いません。「よし、無視しよう」と判断しましたが、それで問題はありませんでした。後で調べたら、データベース工学において「種類の数」を指す用語でした。単純な事柄ですが、わざわざ高等数学の「濃度」（英語ではカージナリティー）という用語から借りてきたため、耳慣れない言葉だったのです。他の学問分野なら、「レパートリー」という簡明な言葉を使います。

アメリカの大学では、本を何ページも読まされる宿題が連日出ますから、知らない単語でつっ掛かっているようでは、とてもこなせません。単語の暗記を基本にし、文の翻訳に重きを置く日本式のやり方では、量が多すぎて太刀打《たちう》ちできません。

我々が日常生活で使う語彙は５００個ぐらいだといわれています。つまり、小学校卒業ぐらいまでに習う基本的な英単語を覚えておけば、アメリカで生活するのに困らないといえます。**知らない単語に出会ったら、人に尋ねたり、類推したり、無視して乗り越えればよいのです。**

私はアメリカ留学中、日本人の若者によく出会いました。たいていは、高校では英語は赤点だったが、夢を追ってアメリカに来たという大胆な人々でした。彼らは、3週間もしたら慣れて、難なく会話ができるようになるのが相場でした。

まとめ

○国によってテストの作り方の発想が異なる。

○分からない単語をうまく捨て置いて、文脈全体をつかんで見誤らない能力の方が、実用上は大事である。

Column

即興の英会話術

小中学生レベルの英単語しか知らない人でも渡米してみると、英会話がそれなりにできるようになります。

まず発音は急速に良くなります。お手本となるネイティブの発音を毎日大量に聴くので上達します。

大きな壁となるのが自分の意見を表すことで、即興で英作文せねばなりません。これにはコツがあります。

1. 最初に、「I」か「You」か「We」のどれかを言う。
2. 次に動詞を原型で言う。
3. その後は、順不同で補足情報の単語を並べる。

何はともあれ主語と動詞だけは、早く口に出すことが大事です。言葉の候補をあらかじめ絞り、迷わないようにします。主語・動詞以外の部分は、単語を適当に並べておけば、だいたいは理解してもらえます。

「I」「You」「We」の3種類の主語だけで、日常会話で言いたいことはだいたい表現できます。たとえば、ビートルズの「I Want to Hold Your Hand」や、ABBAの「Dancing Queen」などの名曲でも、主語は「I」や「You」だらけです。

疑問文にするには文末で声の高さを上げます。

出題者の事情から問題の弱点を予想する

テストの問題は、出題者が自由に作れるわけではなく、むしろ何かに制約された形ででてきています。それが一種の弱点になっています。

将棋《しょうぎ》のパズル問題である詰将棋は、持ち駒を使い果たす形で終わるように作られていまます。その方が作品として美しいというわけです。しかしこれが、大きなヒントになってしまいます。持ち駒が余る形の答案は不正解であり、どこかで間違えているはずです。そのような案は、さっさとボツにして他の案を探すべきです。このヒントを知っていれば、難しい詰将棋も解きやすくなります。

テストでの数学の問題は、「情報はすべて1回ずつ使う」という流儀で作られています。

問題⑪

次の、3元連立方程式を解きなさい。

$x + 2y = 5$ ……(1)
$y + 2z = 8$ ……(2)
$z + 2x = 5$ ……(3)

式が3本あります。これらすべてを使わないと正解は得られません。どれかの式が手つかずのままであっては、正解にはたどり着けないように、テストが作られているのです。なおかつ、出番がまったくない数式は、出題者はテストに登場させません。

また、同じ式を2回使うこともあまり意味がありません。この例題の場合、標準的な解き方では、第1式と第2式を使って、変数yを消去するという手順に進みます。すると、

$x + 2(8 - 2z) = 5$ ……(4)

という、新たな式が作られます。この時点で、第1式と第2式は、第4式に情報を託したので、いったんはお役御免となります。第3式と第4式とだけに意識を集中して、未知数を解くことになります。それで解けるように作ってあるのが、テストでの数学の問題です。

図形の問題も同じで、辺の長さや、角度といった情報は、すべて1回ずつ使えば、正解を割り出せるようになっています。**自分がまだ手をつけていない情報が残っていたら、それを使って考えを進めるというのが、受験のテクニックの一つです。**

難関校の入試では、「各情報を1回ずつ」というカウントの仕方がややこしい問題が出題されます。

たとえば、「xは1000以上の素数とする」という情報は、「xは2で割り切れず、3でも割り切れず、4でも割り切れず、……、1000でも割り切れない素数である」という多数の情報に変形できます。1個の情報のように見えて、実は数百個の情報が詰まっているのです。

とはいえ、数百個の情報をいちいち取り上げていては、解答用紙に書ききれないことは明らかです。その事情から察するに、この変形は間違った作戦だと気付きます。テストでの正解への道は、あっけないもののはずです。素数がらみのテスト問題は、受験生にはおなじみの「2か3以外の素数を6で割ると、その余りは1か5しかありえない」といった安直な性質を使えば、解けるように作られていることが通例です。

さて、数学以外のテストではどうでしょうか。**「正解を導くために必要な情報は与えられ、不必要な情報は書かれない」という原則は、理科や歴史、英語などのテストでも、しばしば成り立ちます。**というのも、問題を作る側からすると、問題文はできるだけ短くしたいからです。文章は長くなれば、誤字や矛盾といった欠陥を含んでしまう危険も、それだけ増えます。問題文は、なるべく余計なことは書かないことが安全策であり、正解が出せるギリギリ最小限の情報までしか書きたくないのです。

よって、文系科目であっても答案を書くときは、数学のテストのように、テストの文章が与えている情報をすべてまんべんなく使うと、正解にたどり着きやすいといえます。

文章読解の問題では、文章全体を見まわして、書かれていることだけを認め、文章に書かれていないことは勝手に推測しないことが原則です。「傍線部の○○とはどういうことか？」といった選択肢の問題では、文章の言っていることから一歩もはみ出ていない選択肢が正解です。「もっともらしいことを言っている選択肢」は、一見すると正解のように見えますが、これは罠であり、往々にして不正解です。

テストは試験時間内に解けるものでなければいけないという制約も、大きなヒントになります。数学のテストでは、がむしゃらに計算すれば解けそうな問題にたまに出会います。計算に数時間かけてよいのであれば実行できそうですが、それでは時間が足りません。そのような単純な作戦は手を付けるだけ無駄ですので早めに捨てて、他に要領のいい方法を探すべきです。

出題者に課された制約につけこんで、テストを要領よく解くことは、受験テクニックとしては当たり前ですが、それはよいことばかりとはいえません。テスト以外の場面ではむしろ知恵が働かなくなるという弊害《へいがい》もあります。

私たちが仕事で出会う問題は、出題に制約などありません。そもそもまだ誰も解き方を知らない未解決問題にすら出くわします。こうした手ごわい問題に対して、受験のときのクセで、解き方の近道ばかりを探そうとして失敗する人はいます。

ペーパーテストは受験の公平性に価値がありますが、仕事での問題は解くことに意味があるという点も大きな違いです。ペーパーテストの最中にカンニングペーパーや電卓を使うことは禁止です。一方、**会社では問題にぶつかったら詳しい人や便利な道具の助けを借りてさっさと解かないと怒られます。自力で解いていては遅いのです。**

問題の作り手の事情

問題の種類	出題者がらみの事情	解く側の事情
学校の定期テスト	●最近の授業で言ったことしか出してはいけない。 ●時間内に解けるように作ってある。	●授業で習った方法で解かないと先生に怒られる。 ●カンニングペーパーや電卓を使ってはいけない。
入学試験	●出題範囲は広いが決まっている。 ●時間内に解けるように作ってある。	●受験でおなじみの裏技を使えば簡単に解けることが多い。 ●カンニングペーパーや電卓を使ってはいけない。
社会に出てから出会う問題	●何の問題を解くべきかを、自分で見つけないといけないことがある（上司の指示を待つだけではいけない）。 ●誰がやっても解けない問題かもしれない。	●他人や道具の助けを借りないと、仕事が遅いと怒られる。 ●「答えの発見」よりも「答えの創造」が問われることが多い。

してみれば、ペーパーテストが苦手だからといって、別に気にすることはありません。自分は凡人だが、他人の力を借りるのがうまいという人が実社会では活躍しますし、成功している人の多くはそういう偉大なる凡人です。

ロボット工学の権威として知られる、ある教授は「私は大学の教官になって以降、ロボットのコンピュータープログラムを1行も書いたことがない」と豪語していました。プログラム作りは、自分が指導する学生に任せればよいのです。教官は、多人数の共同作業である研究全体のかじを取るという大きな役目に専念するべきです。野球の監督がバッターボックスに立つ必要はないのと同じ理屈です。

まとめ

○テストには制約がある。そこを突けば、正解への道がばれる。

○数学のテストでは、すべての情報を1回ずつ使うと解けるようになっている。

第3章

長文を読む・書く

文章を理解するための最大の秘訣

文章読解の能力とは、どんなものでしょう？　人ごとに、得意、不得意の差があるものでしょうか？　勉強すれば伸びるものでしょうか？

個人差はとても小さく、人々の能力はどんぐりの背比べだと言ったら、にわかに信じがたいと思いますが、その一面は確実にあります。

次の文章問題をすぐに解けるでしょうか？

問題①—1

ある工場では、表にひらがな1文字、裏に数字1文字が書かれたカードを作っている。表のひらがなが「あ」である場合、裏の数字は「5」でなければならないというルールがある。このルールが守られているかを点検するとしよう。次のどのカードを調べるべきか？　必要なら2枚以上調べてもよい。

① 「あ」と書かれたカード
② 「こ」と書かれたカード
③ 「5」と書かれたカード
④ 「7」と書かれたカード

この問題は「4枚カード問題」と呼ばれていて、大半の人が間違えることで有名です。「①と③を調べるべき」が正解だと思えますが、それは間違いです。

では、次の問題はどうでしょう?

問題①―2

「未成年はお酒を飲んではいけない」というルールがある。ルールが守られているか点検するとしよう。次のどの人を調べるべきか。

① 未成年の人
② 成人

③　酔っていない人
④　酔っ払い

これなら誰でも瞬時に分かります。**①の未成年の人と④の酔っ払い**です。この答えが正しいことは納得できると思います。

この2つの問題は、まったく同じ論理構造を持っています（よって、答えも同じで、「①と④を調べる」が正解です）。違いといえば、登場する言葉が抽象的か具体的かという点だけです。**問題に登場する概念が抽象的であれば、正解を見つけることはとても難しい。具体的でイメージしやすい概念ならば、ほぼ全員が正解できる。**こんな奇妙で激烈な性質が、人間の脳にはあります。

今、見てきた例は短い文章でしたが、もっと長い文章の読解でも事情は同じです。具体性の度合いによって、読者の理解は大きく左右されます。

いい成績を取れるか、否《いな》かの運命の分かれ道は、実はここにあるといえます。読解問題の成績のいい人は、抽象的な問題をそのままでは考えず、自分が慣れている具体的なイメージに置き換えて考えるので間違えないのです。**逆に、問題を抽象的なままで考えていては、成績は上がりません。**頭のいい人がテストで良い点を取るのではなく、このテクニックを知っている人が正解しているだけなのです。

受験勉強には、単語暗記のように努力が必要な部分もありますが、このテクニックのように、気の持ちよう次第で大した努力もなく成績が上がるという裏技的な面もあるのです。国語の教科書ではこの裏技をあまり教えてくれません。せいぜい、「分かりやすく説明するには、たとえを使いましょう」といった程度の小技のような扱いです。文章読解に対する決定的な特効薬であるのに、前面に押し出していないのはもったいない話です。

文章をわざと抽象的に書けば難解になります。そうすることによって、本当は大したことを言っていないのに、何か高度なことを述べているような雰囲気を出す人もいます。やめてもらいたいものです。

まとめ

○文章読解の成否は、読者の頭の良し悪しではなく、話の具体性によって決まる。

○抽象的な文章を見たら、身近で具体的なことに置き換えるクセを身に付けよう。

文章能力は理系でも大事

国語や英語、歴史などの文系科目のテストでは、長い文章を読まされる問題がしばしば出されます。

理系では、大学入試に国語の長文問題が出ることは、国公立大学ではありますが、私立大学ではほぼありません。古文や漢文はともかく、現代文すらやりません。理系科目の勉強だけでも大変なのに、現代文までを受験科目に入れると、受験生には負担が大きすぎます。その結果、志願者が減ってしまうので、私大は避けています。

私の知り合いの私大の先生は、「現代文は大事だから、私大の理系も入試でやるべきだ」と言います。理系の授業では、高度な技術を理解するには本や論文を読まねばなりません。

その技術を使って自分が作ったものをレポートにまとめるにも言葉が必要です。**言葉を理解し、言葉で表す能力は、理系の大学生活でとても大切なのです。**

文章能力を高めることは、テストの成績を上げようとか、入試で合格しようといった、受験がらみのことばかりではなく、一生を通じた自分の仕事に関わることです。職業に就くと、専門的な文章を読んだり、プロジェクトの企画書や報告書を書いたりする仕事に、膨大な時間を費やすことになります。**高度な仕事というものは、何もしないで与えられるものではなく、書物を読んで状況を調査し、何をなすべきかを自分で考え、他人を言葉で説得して立ち上げるものです。**何にせよ、言葉が主体の作業となります。

人間はそもそも、長い文章を操ることが苦手です。読書感想文を原稿用紙5枚に書けと言われたら、私は荷が重いと感じます。やるにしても、書き上げるまで何時間もかかることでしょう。松尾芭蕉《まつおばしょう》の『おくのほそ道』は、原稿用紙にして40枚ほどです。その8分の1とはいえ、原稿用紙5枚は、かなりの長さであるといえます。

作文しなくてはならない場合でも、短文で済ませたいものです。冠婚葬祭の挨拶《あいさつ》に電報を使う習慣は長く続いています。電報では短い定型の文になって仕方がないということにしておけば、長い挨拶を作文しなくても、角が立たないわけです。ツイッターに代表される、短い文しか投稿できないサービスがインターネット上に出現したとき、「そんなに文が短くては役に立たない」と思われましたが、フタを開けてみれば大ヒットになりました。

文章能力を訓練する方法は、あるにはありますが、学校の授業の中では実行しにくいものです。文章をたくさん読んだり書いたりすることが必要になりますが、それは授業時間内に収まるものではありません。また、生徒が書いた作文を先生が添削することも大変です。労力と時間がかかりすぎるのです。

文章の読み書きの力を身に付けるには、学校の授業だけでなく、ふだんから自発的に訓練しておくことが求められます。

まとめ

○文章を読み書きする能力は、理系でも大事。
○ふだんから自発的に訓練しておく必要がある。

長文問題を攻略するカギは冷静さ

長文問題はなぜ難しいのでしょうか。その主要な理由は次の2つです。

○文章が抽象的である。

○読者が緊張している。あせっている。難問だと思って怖がっている。

抽象性については前に述べたので、ここでは緊張の問題を考えてみましょう。

人間の言語能力は、緊張にとても弱いのです。事故や事件のような緊急事態では、110番や119番に通報しますが、たいていの人はあわててしまい、うまく話せないものです。ふだんならできるような簡単な会話すらできません。

人間の知能は、深く考える部分と、短絡的に即断即決する部分との2つから成り立って

いて、互いに主導権争いをする仕組みになっています。

深く考える部分の方が優勢なときは、人間は賢く考えられるので、難しいテストであっても正解を出せるはずです。

現実のテストではそうはいきません。あせってしまうと、即断即決の知能が主導権を奪ってしまい、浅い考えで勘違いだらけの答えを出してしまうのです。

動物は、緊急時にすぐに決断しないと死んでしまいます。もたもた考えている時間はないのです。即断即決する部分が優勢になって、深い考えを押し殺します。そして、すべてのことについて浅い考えだけで決断するのです。

精神的に余裕がある状態なら、冷静になれて、本来の実力を出すことができるでしょう。テストで、長い文章を見てもビビらないことを目指すのが、長文問題への正攻法です。それには、

○ふだんから長い文章に慣れる。長い文章を怖がらないようにする。
○解答中に落ち着きを保つ工夫をする。

という対策をします。

まとめ

○人間の知能には、冷静な部分と、短絡的な部分があり、主導権争いをしている。
○冷静な部分が主導権を取らないと、文章問題は難しくなる。

長文を読破するには、まず慣れよ

ふだんから長文を読む習慣があれば、いざテストで長文問題に出会っても、恐れずに済みます。活字アレルギーを克服し、長文など朝飯前という自信を得ることが大事です。

長文を読破するコツは、自分が好きな題材の本を読むこと。これに尽きます。

私が生まれて初めて読破した本は、椋鳩十《むくはとじゅう》の『孤島の野犬』でした。この本は若干《じゃっかん》、昔に書かれたものなので、今、読み返してみると、子ども向けとしては少し難しいとすら感じます。とはいえ、私は犬が好きなので、難しさより興味が勝って、すらすらと読み通せました。

自分が興味を持っている事柄では、抽象性という障害が大幅に減ります。作者が何を描いているかを正確に感じ取れるのです。

さらに、興味があれば、物語の先を知りたくなるので、**どんどん読み進むことになります。**

興味から湧き起こる、この2つの効果があれば、読破は造作《ぞうさ》もないことといえます。

自分の好きなことに関する長文は、自分の手の届く所に大量にあるはずです。何かのスポーツが好き、趣味があるという人は、専門雑誌や新聞にあたってみてください。新聞のスポーツ欄には、大きな試合を深く分析した記事がほぼ毎日載りますから、スポーツ好きなら読書の題材には事欠かないと思います。

長文のテストの題材には、小説ばかりではなく、論説文も選ばれます。これは、難しい漢字が多いし、内容が抽象的になりがちなので、ますます読む気がなくなります。野球の野村克也《のむらかつや》元選手・監督がたくさん書き残している野球論の本は、理論を繰り広げた論説文であり、抽象的な部分もあります。とはいえ、野球が好きならすらすら読める楽しい本なので、いい読書訓練になります。自分が好きなジャンルを選んで、難しい文章に慣れていきましょう。

一方、興味が湧かない文章を読み通すことは、誰しも苦痛です。ジャーナリストの立花《たちばな》隆《たかし》は、**難しすぎたり、くだらなすぎたりして、途中で読む価値を見出だせなくなった本は放棄してよいが、一応は最後のページまではパラパラと斜め読みで目を通しておけ**、と言いました。このテクニックは、仕事で大量に書物を読まねばならない人にとって、非常に実用的で助かります。

趣味が特になく、自分の興味の方向性が分からないという場合は、ノンフィクション、特に自伝本や半生記を選ぶのが無難な選択といえます。「事実は小説より奇なり」というように、現実では「まさか、そうなるか！」と唖然《あぜん》とするような事件が起こります。

坂本龍馬《さかもとりょうま》は、もともとは幕府に反対する過激な集団に属していた下級武士で、その後、浪人をしていたときに、幕府の重役の勝海舟《かつかいしゅう》に会いに行きます。もともと赤の他人同士で、身分が違いすぎますし、政治思想的にも敵対しているので、絶対に会えるはずがありませんが、現実には会っています。その上、龍馬はその場で勝に弟子入りまでしました。

このような滅茶苦茶な展開は、小説家には思いつけません。仮に思いつけたとしても、「そんなに都合のいい話はないだろう」と、読者をしらけさせるので書くのをためらいます。

だからこそノンフィクションには特別な面白さがあるのです。

自伝は、誕生から学生時代、そして社会人の時代へと順を追って話が進みますから、理解しやすいのも利点です。新聞にとって有名人の半生記の連載は人気コーナーであり、どの新聞でもありますから、簡単に見つけられると思います。

さて、読書の題材として、漫画を選ぶべきかという問題があります。テストには漫画は出題されないので、長編漫画をいくら読破しても、テストでの自信につながらないという欠点があります。日本の漫画は文学作品としても極めて優れていますが、テスト対策という点では出番がないのです。

まとめ

○テストに備え、ふだんから長い文章を読むことに慣れる。読破する経験を積む。
○自分の好きなことに関する文章を探すのがコツ。

問題文の読みづらさ対策

文字が小さく、1行が長く、行間が狭い文章は、目で追いにくいものです。

しかし、国語のテストでは、このような体裁になっているものが存在します。大学入学共通テストを見てみると、縦長の紙に縦書きに印刷されているので、1行が55文字程度と長くなります。これは日常生活で目にする文章レイアウトとしては長めの部類といえます。

私は文字を目で追うことがとても苦手なので、長い行で出題されると、国語の勉強以前の問題として、ちゃんと文字を読むという努力をせねばなりません。

研究者は研究資金を獲得するために、政府や財団などお金をくれる組織へ、申請書を書いて応募します。申請書を書くときの鉄則は、「文字は大きく、文字数は少なく、行間は広げて」です。審査員1人に対し、100件ぐらいの申請書が割り当てられます。活字がびっしり詰まった文書はそもそも読む気がなくなりますし、読んだとしても長すぎて内容が印象に残らないものです。広告では言葉を短くして余白を作ります。それがメッセージを際立たせるのです。びっしり字を埋めてはダメです。田中角栄《たなかかくえい》元首相は、自分に情報を上げるときには「便箋《びんせん》1枚に、大きな字で、要点を3つだけ書け」と指示したそうです。これくらい読みやすくないと、世間では文章は通用しません。

長文を読むには、

○目線を誘導する道具を使う。

○記憶だけに頼らず、紙の上に手がかりを書き込む。

という2つのテクニックが役に立ちます。

1 目線を誘導する道具を使う

人間は、自分が今どこを読んでいるかを見失うと混乱します。文章読解のテストでは、これを防がないといけません。

文章を読む際に、今読んでいる行に定規をあてて、目線を誘導する工夫をしている人がいます。私の知り合いの弁護士は、書類を読むときはいつでも紙面に定規をあてていました。弁護士は仕事柄、長文に慣れているはずですが、そんな人であっても、定規なしでは、読み飛ばしのミスを誘うし、疲れてしまうのです。

また、**「リーディングトラッカー」というプラスチックの色のついた板を使って、行を目立たせる人もいます。**

リーディングトラッカーは、「注意散漫」とか「認知障害」という「障害」がある人向けの特別な補助器具のように扱われることがあります。しかし私は、誰もが使うべき、良い道具だと思います。弁護士ですら文字がぎっしり詰まった長い文章を読むのに苦労するのですから、それを「障害」と呼ぶ必要はないでしょう。

② 記憶だけに頼らず、紙の上に手がかりを書き込む

自分がどんな内容を読んだかを、記憶だけに頼ると、頭がパンクします。問題文は「Aである。Bである。Cである。……」と、次々に新しい内容を述べてきますが、これらを工夫もなく頭の中で覚えておくのは難しいです。記憶できるにしても、それだけで頭が疲れてしまい、問題を正しく解く余力がなくなってしまいます。

よって、**問題文が、ポイントめいたことや目立ったことを述べたら、そこに傍線を引いたり、丸で囲んだりします。**大事な所の見てくれを目立たせるというわけです。こうすれば、文章が何を言ってきたかが、紙面をざっと見渡すだけでとらえやすくなります。

脳は、言葉の情報を扱うことがそれほど得意ではありません。あれこれ読んで全部を覚えることは難しいのです。緊張しているときはなおさら苦手になります。一方、目立っている箇所を見つけることは得意です。文章の要点を目立たせることで、見失わないように

しましょう。

どこに書き込めばよいか分からないという場合は、さしあたり、文の主語と述語を丸で囲んでください。文は、少なくとも主語と述語があれば、最低限の意味を表せます。修飾語や余分な言葉を読み飛ばしても文が成り立たなくなるということはありません。「東京は、かつて江戸と呼ばれ、政治と経済の中心地として栄える大都市である」という文は、「東京は大都市である」と、思いっきり縮めることができます。

文章を最初に読むときは、さしあたり重要なポイントだけを丸で囲んで目立たせて、それ以外はほっておくようにすれば、粗いながらも文章全体の話の流れをとらえることができます。何がどこに書いてあったかが分かるのです。

問題はいろいろ細かいことを尋ねてきます。粗い読み方では不十分なような気がしますが、**話の大まかな流れが分かっていれば、どこを探せばよいかも分かります。その場所の文章を改めて読み返せば、問題の答えも分かります。**

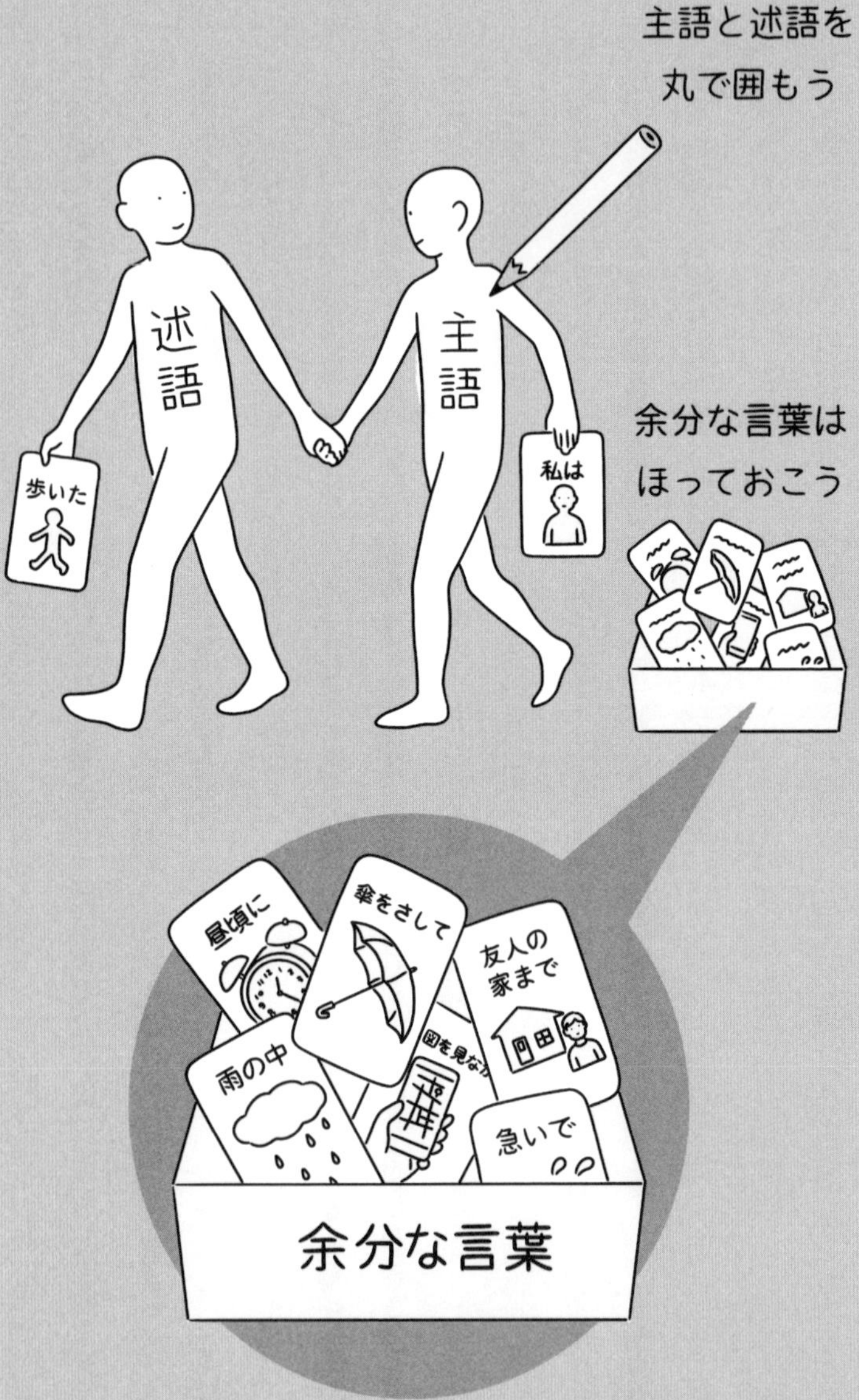
主語と述語を
丸で囲もう
述語
主語
歩いた
私は
余分な言葉は
ほっておこう
昼頃に
傘をさして
友人の
家まで
図を見なが
雨の中
急いで
余分な言葉

③ 真のねらいは安心感

読書の補助具や書き込みのありがたみについて述べてきましたが、本当のねらいは、安心を得ることにあります。

人間は目に見えないことには不安になります。

道具を使ったり、書き込むという行為は目に見えることです。目に見えることは、たしかに起こっていることなので疑いはなく、「私は工夫して着実に読み進んでいる」と安心しやすいのです。

安心すると、脳の言語理解能力が高まり、正しい答えも分かるというものです。逆にあせっていては、ふだんは優秀な人であっても、良い点は取れません。

まとめ

○長文読解テストが文字ビッシリの体裁だと、読むのが大変。

○目線を誘導する道具を使う。

○記憶だけに頼らず、手がかりを書き込む。

長文読解テストの正解探知法

文章読解のテストにだけ使えるテクニックというものがあります。国語のテストには、独特なスタイル・クセがあり、また出題者側の事情からくる出題上の制約もあります。それにつけこんだ、文章の読み方や、問題の解き方が、受験の世界にはあるのです。テストは時間が短いですから、要領よく解かねばなりません。よって、こうしたテクニックは必要といえます。

1 本文を読む前に、設問を先に読む

人間の注意力は「選択的」であるといわれます。あらかじめ何かを選び、これに注目し

ようと気合を入れて見た物事は、よく覚えられます。それ以外の物事はほとんど記憶に残りません。

次のテスト問題を読んでみましょう。

問題②

【問1】リョコウバトが多く存在していたことを示すエピソードは何ですか？


【本文】

生物は、その数があまりに減ってしまうと、後からいくら保護して、数を増やそうとしても回復できず、絶滅するしかない。

リョコウバトという鳥は、十九世紀には北米大陸に約二十二億羽もいた。群れが木に停まると、その重みで枝が折れるほどだった。現在は一羽も生き残っていない。人間が乱獲したことが原因の一つであるが、絶滅するまで狩猟を続けたわけではない。個体数が目立って減ってきたので、生き残っている個体を動物園などで保護して繁殖させ、数を回復させようとなった。だが、その試みは失敗し、絶滅した。

大きな群れを作って暮らす動物は、群れが作れないほど仲間が減ってしまうと、彼らにとっての通常の生活ができなくなり、繁殖しなかったのである。

人間こそ、そのような動物の代表ではないだろうか。今、人類が何十億人もいるからといって、リョコウバトのように、あっという間に絶滅することはないと誰が言えよう。


【問2】傍線部「絶滅」と同じ意味を別の言葉で表現している箇所はどこですか？


本文より前に置かれた問1は、何を探せばよいかをあらかじめ知ってから本文を読みますから、その答えを見つけるのも簡単です。逆に、本文の後で読む問2は、問題を読んでから答えを探しに本文を読み返さねばならず、二度手間になります（ちなみに正解は、**問1は「群れが木に停まると、その重みで枝が折れるほどだった」、問2は「一羽も生き残っていない」**です）。

大半のテストでは、題材である本文が、設問より先に置かれています。それを読んでから問題に答えるという建前になっています。この建前の順番を守ると、二度手間となります。この非効率は、解答の時間が短く設定されるテストでは致命的でしょう。

では、「まず本文を読み始め、傍線部まで読み進めたら、それに対応する設問に飛び、答えを考える」という順番はどうでしょうか？　これは、傍線部まで読めば答えが分かる問題なら対処できます。しかし、答えの手がかりが、傍線部のはるか後に書かれている場合はダメです。

結局、「**テストが始まったら、まず設問にざっと目を通し、それから本文を読む**」という方式が一番よさそうです。

設問を読んだら、何を問われているかを簡単なメモとして、本文の該当《がいとう》部分の周りに書き込みます。

だいたいの設問は次のパターンのどれかに当てはまります。

○傍線部の意味を問うもの：「これは何を指しているか？」「どのような意味か？」「どういうものか？」「どういう気持ちか？」

○傍線部の原因や理由を問うもの：「そう考えたのはなぜか？」「なぜ、そう言えるのか？」

○傍線部の表現技法を問うもの：「この四字熟語の意味は何か？」「この言葉は何を比喩《ひゆ》したものか？」「これと同じ意味の言葉はどれか？」

各傍線部が、どのパターンの設問とひもづけられているかを、短くメモします。それが終わってから本文を読むと楽です。

2 不正解の選択肢は、明確な欠陥を持たされている

テストでは、「傍線部はどういうことですか？　もっとも適切なものを選択肢《せんたくし》から選びなさい」という形の問題が頻繁《ひんぱん》に出されます。

頻繁に出されるので、簡単で基礎的な問題かと思いきや、そうではありません。人工知能の研究の世界では、この種の問題は「含意《がんい》関係問題」等と呼ばれ、難問だと考えられています。

問題③

次の３つの文の意味を比較してください。

A：徳川家康は石田三成《みつなり》に勝った。

B：石田三成は徳川家康に負けた。

C：三成、涙！　家康、圧巻の采配《さいはい》。

どれも同じような内容を述べています。

これが人工知能にも分かるでしょうか。AとBが同じだということは、「勝つ」と「負ける」が対義語であることを知っていれば分かります。人工知能に対義語辞典を与えて考えさせれば済む話です。

しかし、AとCが同じような意味であることを教えるには、どんな辞典を与えればよいのでしょう。世の中の文学的表現を全部集めて、その意味を解釈した巨大な辞典でも作らないと、歯が立たないと思います。

「AとCとは逆のことを言っている」という天邪鬼《あまのじゃく》な意見が出てきたら、うまく反論できるでしょうか？　**言葉というものは、読者それぞれの主観によって意味にばらつきが出て当たり前です**。「Aでない状況で、Cと書く人は絶対に存在しない」とは言い切れないでしょう。言葉は、数学のように完全に論証できるものではないので、断言できません。

テストでは、そうした言葉の曖昧《あいまい》さの深みにはまらないように、かなり明快にする必要があります。正解の選択肢は正解である根拠をたっぷり持ち、不正解の選択肢は明確に不正解と言い切れるように作らねばならないのです。はっきりさせないと、正解か不正解かで論争となり、出題ミスではないかと騒ぎになります。

不正解の選択肢を議論の余地のない不正解にするために、出題者は確実にわざとらしくキズを入れます。たとえば、次のテクニックがしばしば使われます。

○選択肢の文に、「絶対に」や「必ず」、「まったく」といった強く限定をかける言葉を入れる：「太郎は次郎を尊敬している」と書けそうなところを、わざと「太郎は次郎を完全に尊敬している」という選択肢にする。文章の意味の取り方において、絶対にそうだと言えることは少ないので、このように思い込みが強すぎる選択肢は答えとしては不適当であり不正解だと推測できる。

○本文に書いていないことを盛り込む：本文が「水は貴重である」とだけ主張している場合、「水は貴重であり、石油も貴重である」という選択肢は、本文の内容とは一部では一致しつつも一部では合わない。一部が不一致なので、正解の選択肢にはならない。

選択肢のキズの付け方のパターンを覚えておけば、不正解の発見に役に立つでしょう。

3 正解の選択肢を中心にして、まぎらわしく作られることが多い

出題者としては、正解の選択肢をなるべく目立たないようにしたいものです。たとえば、

A：浦島太郎は亀を助けた。

B：浦島太郎は亀を助けて、月に行った。

C：浦島太郎は亀を助けて、鬼ヶ島に行った。
D：金太郎は相撲《すもう》が上手だ。

という選択肢の一団があった場合を考えましょう。

AとBとCは、共通の内容を持ち合っています。なので、それらの違いを見極めるには少し努力をしないといけません。よって、この中のどれかに正解を仕込んでおいて、受験生にしっかり考えてもらい、賢い人だけに正解してもらおうと、出題者は考えたくなるものです。

かたや、Dは完全に他から孤立した内容です。これを正解にすると、問題が簡単になりすぎてしまうという不安があります。孤立した選択肢は正解用に設定しにくいのです。

要するに、「**なるべく孤立していない選択肢が正解**」という傾向が生じるのです。Aのように、他の選択肢との違いがなるべく少ない、いわば「中心」にある選択肢こそが正解にされることが多いといえます。

このように、選択肢をうわべだけから品定めする方法を紹介しましたが、出題者は受験生の裏をかこうともします。不正解っぽい特徴を持たされた選択肢が実は正解である場合も、たまにあります。**ふだんは、うわべだけでなく、しっかり読んで答えを選ぶようにしましょう。**時間が足りなくなって、急いで答えを選ばなければいけない場合には使ってみる価値はあります。

まとめ

○長文読解テストでは、出題者に制約があり、それにつけこんだ正解探知法がある。
○設問を先に読み、何を問われているかを、本文に短くメモしておく。
○限定が強い言葉が入っている選択肢は、不正解を疑え。
○本文に書いてないことが書いてある選択肢は、おそらく不正解。

論説文はアメリカ式がおすすめ

小論文のテストでは、数百字程度のやや長めの文で答えを書かせることがあります。また、推薦《すいせん》入試などでは、もっと長い自己アピール文を書くこともあるでしょう。**文章の内容構成の流儀には、日本式とアメリカ式があります。**

1 話題を取り合わせる日本式

日本式は、話題の取り合わせというテクニックを使います。**文章の出だしは話題Aについて述べ、徐々に話題Bに話を移していくというものです。**筆者が一番言いたいことは、後から出てきて結論に置かれる話題Bの方です。

たとえば、冒頭は「寛政の改革を主導した松平定信は牛車《ぎっしゃ》の研究者としても知られる」という感じで始め、末尾では「自動車産業は電気自動車の登場という大きな節目を迎えている」などと違う話題で終わります。中間は、この2つの話題をつなぐ話で埋めてあるのです。

この技法は、新聞や雑誌のコラムで頻用されています。**作文ではテーマが1つだけだと話が膨らみませんが、2つを取り合わせるのならばいろいろ書けます。**両者を比較したり、意外な縁があることを述べたりすればよいのです。

落語もすぐには本題に入りません。冒頭に「枕《まくら》」と呼ばれる漫談をしてから、本題の落語を演じ始めます。古典落語では演目は数が限られていますから、それらをローテーションするだけではマンネリになってしまいます。枕ならば、自由な話題を話して、新鮮味を出すことができます。

読書感想文の宿題などで、書くことが思い浮かばないとか、どこから書き始めればよいか分からず、困っているときは、取り合わせを使えばなんとかなります。冒頭で「私は○○が好きだ」や、「我が町には○○がある」などと書きだして、本の内容とは一見すると無関係な話題を持ち出し、そこから話題を徐々にずらしていって、本の内容に結び付けるのです。結び付けるのには文字数がかかりますから、分量不足の悩みはひとまず解消できます。

とはいえ、異なる話題が同居するため、失敗すると木に竹を接《つ》いだようになりかねません。**主張がぼやける危険性があるので、論説文にはあまり向かない書き方といえます。**

② 単刀直入のアメリカ式

アメリカ式は、非常にシンプルです。それは次の原則から成り立っています。

○1つのテーマだけを書く。
○主張を最初に書く。

テーマは1個だけしか許されません。それ以上は聴き手の注意力がパンクします。1963年のキング牧師の『アイ・ハブ・ア・ドリーム』（私には1つの夢がある）という有名な演説があります。これが、「私には2つの夢がある」だとしたら、メッセージがぼやけます。「3つの夢がある」では、出直して考えを整理して来いと言いたくなります。

1つのテーマを何度もこすることが大事です。アメリカのケネディ大統領は1963年に『平和の戦略』という有名な演説をしました。その中でこんなことを言っています。

「私が言う平和とはどのようなものか？　そして我々が探し求める平和とはどのようなものか？　アメリカが武力で世界を押さえつける覇権《はけん》ではない。墓場の平穏でもなければ、奴隷に成り下がって保護を受けることでもない。私は本当の平和について語っている。それは、地球上の命を生きるに値するものにする平和である。人々や国々を発展させ、希望を持たせ、子どもたちのより良き人生を打ち立てる平和である。単なるアメリカ人のためだけの平和ではない。すべての男女のための平和である。単なる我々の時代だけの平和ではない。すべての時代での平和である」

1つのテーマにとどまって、似たような内容を何度も繰り返します。このしつこい流儀が、アメリカでは、論説文や演説の正攻法とされています。

話題を変化させていく日本式とは真逆の流儀なので、日本人向けにはくどいかもしれないと不安になりますが、意外と悪くありません。2011～12年にNHKで放送された朝の連続テレビ小説『カーネーション』は高い評価を受けました。私は、この作品のテーマは「自立」だと受け取りましたが、そこから話が外れる回がまったくなかったのです。話が進むにつれ、主人公が成長し、登場人物も舞台も変わっていきましたが、テーマ自体はぶれませんでした。それゆえ印象が深くなったと思います。

アメリカ式では、主張をなるべく早く書きます。冒頭に主張をむき出しで書くのがよいのです。新聞記事はまさにそれで、最初に目に入る見出しに、もっとも伝えたいことが書いてあります。

1977年に公開された映画『スター・ウォーズ』の第1作は、冒頭に巨大な宇宙船に追われる小さな宇宙船という戦闘シーンを配置して、映画シリーズ全体の「巨大な悪と零《れい》細《さい》な正義の対立」というテーマを、非常に分かりやすい画《え》で見せます。長編漫画でも名作は、第1話でテーマをはっきり描いているものです。長いように見えて、実は第1話にすべてがあるのです。

論説文において主張とは「結論」とも呼べると思います。「結論」は、文字通りに取れば、締めくくりの言葉です。文章の最後に書くべきであると思われがちですが、それでは何が言いたいのかぼやけたものになります。**冒頭に書くのがよいのです。**

まとめ

○長い文章の書き方には、日本式とアメリカ式がある。
○アメリカ式の方が印象に残る。
○アメリカ式では、1つのテーマだけを取り上げ、それ以外を書かない。

Column

すごい論文

私が今まで読んできた学術論文の中で一番感動したのは、イギリスのアーミテージとドールが1954年に発表した発がんのメカニズムについての論文です。

アーミテージらが、統計データを観察したところ、がんの発症率や死亡率は患者《かんじゃ》の年齢の整数乗に比例することが多いことを見つけます。たとえば、女性の大腸がんによる死亡率は年齢の4.97乗に比例します。ほとんど5乗と言っていいでしょう。

細胞内の遺伝子には、がんへのカギとなる部分が何個かあって、それらが全部悪く改変されると、がんが発生します。さて、発がん率が時間（年齢）の5乗に比例するということは、高校レベルの数学を使うと、遺伝子の6か所が改変されると発がんするということが結論できます。乗数は遺伝子の危険箇所の個数が反映するから、妙に整数に近い数だったのです。

顕微鏡も使わずに、ただの統計データと、簡単な数学だけで遺伝子を探るとは、恐ろしい洞察力《どうさつりょく》です。

偉大な論文は簡単な技術で深遠な世界を見せます。

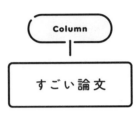

第4章

「分かる」とは何か？

——勉強法を見つめ直す

理解するには実感が必要

授業で聞いたことや、本で読んだことが、即座に理解できるなら、勉強は楽勝です。どうすれば理解できるようになるのでしょうか。

複雑なことを聞いてその意味が分からないということは当たり前ですが、逆に、単純すぎることを聞いても、やっぱり理解できないということもあります。

たとえば、二等辺三角形についての問題を考えてみましょう。

問題①

三角形ABCは、辺ABと辺ACの長さが等しい。このとき、角Bと角Cが等しいことを証明せよ。

小学校では、次の解き方を教えます。

〈小学校で教える答え〉

頂点Ａから、辺ＢＣの中点に補助線を引く。すると、三角形ＡＢＣは、補助線を対称軸《じく》として、２つの線対称な（よって合同な）三角形に、２分割される。合同な三角形同士では、対応する頂点の角度が等しいので、この場合なら角Ｂと角Ｃが等しいといえる。

三角形を、折り紙を折るようにして、２つの角度を重ね合わせるという話の流れです。なるほどと思えます。

一方、人工知能にこの問題を解かせると、別の答えを出します。

〈人工知能による答え〉

三角形ＡＢＣと三角形ＡＣＢとでは、共通の角Ａを挟んで、共通の長さの辺が２本伸びている。よって、三角形ＡＢＣと三角形ＡＣＢとは合同である。よって、対応する角Ｂと角Ｃとは等しい。

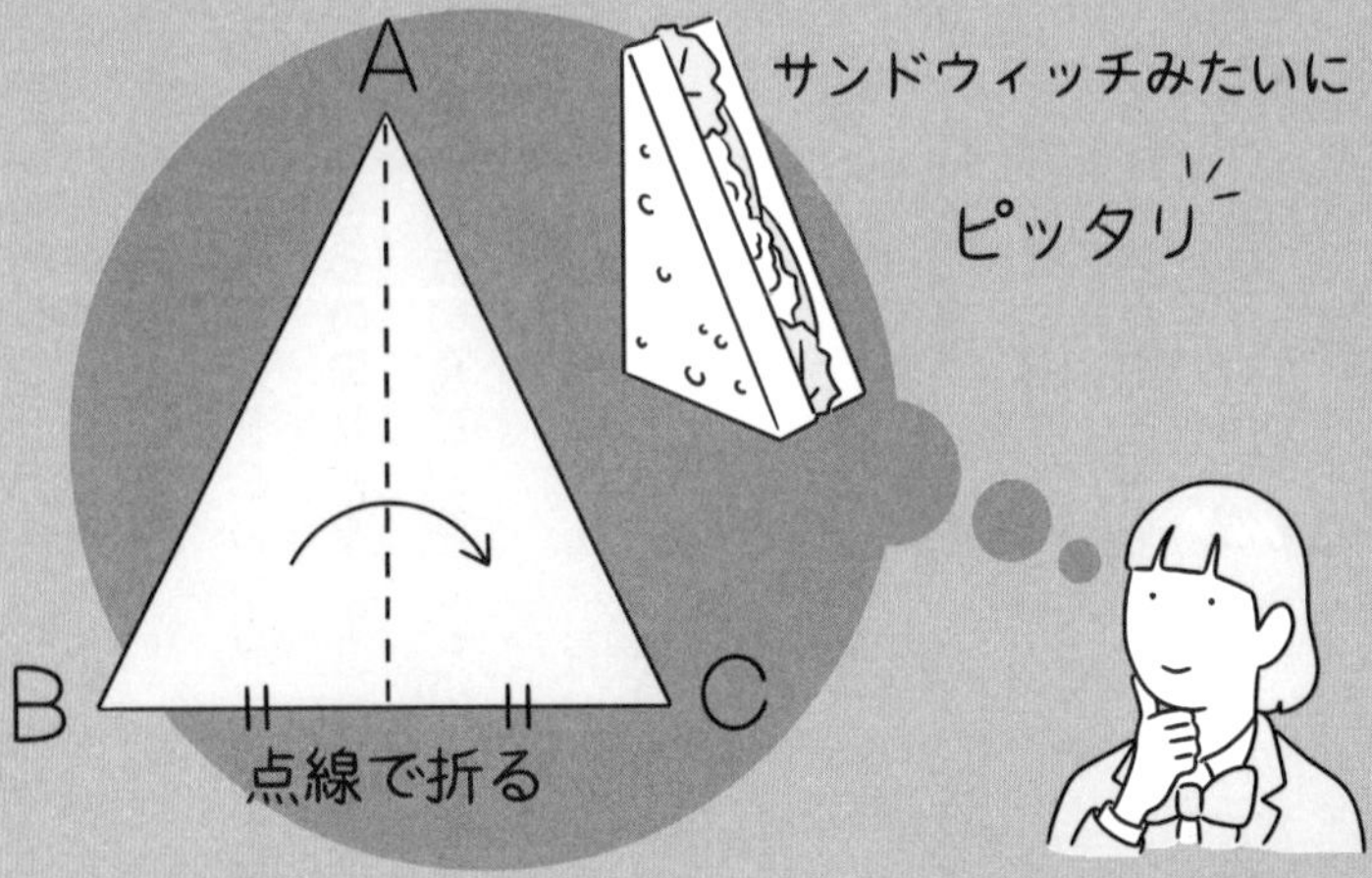
サンドウィッチみたいに
ピッタリ
A
B
C
点線で折る

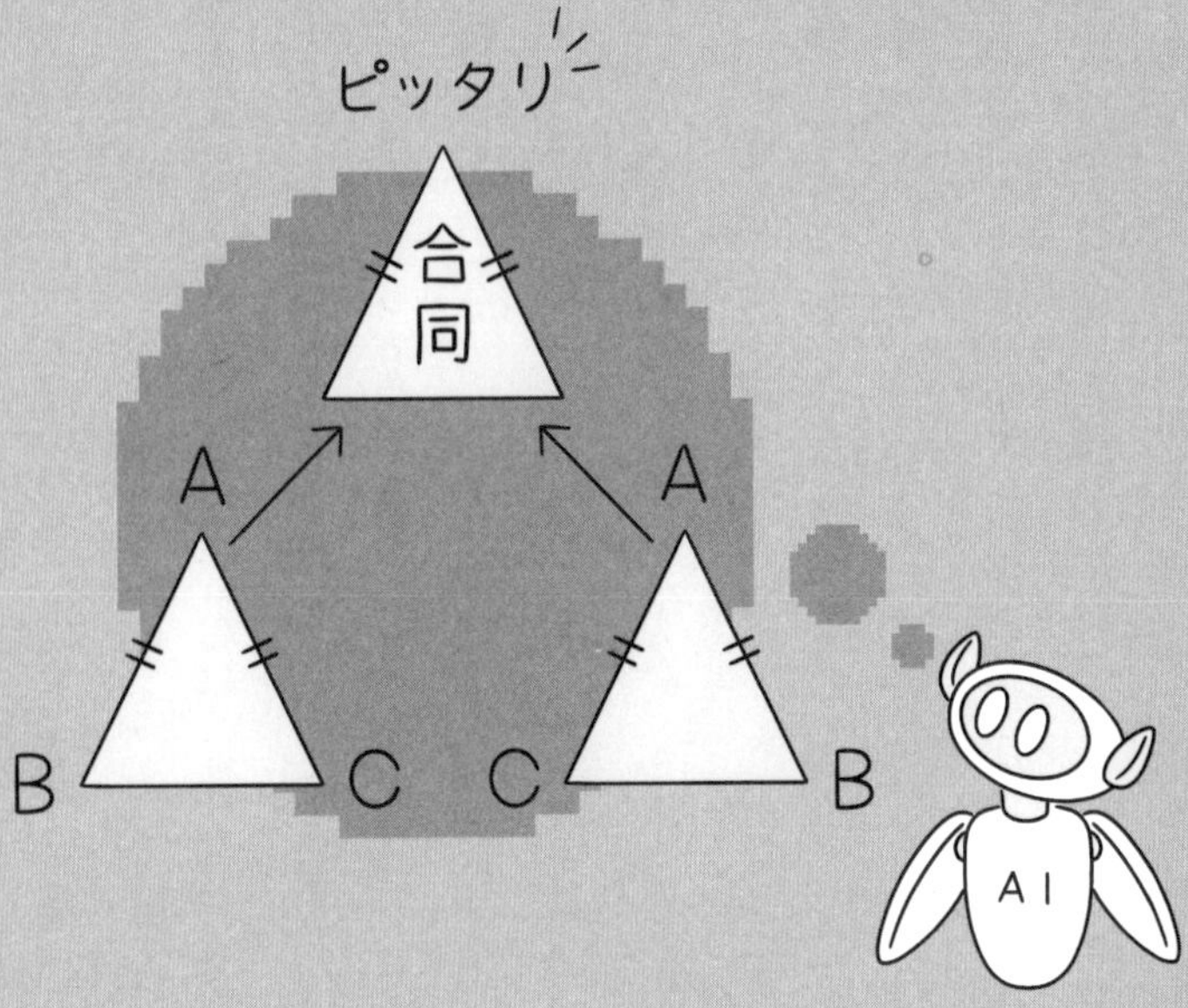
ピッタリ
合同
A
B
C
A
C
B
AI

この解答が一番単純で近道です。人工知能は近道から探っていきますから、この答えを選びます。

しかし、**単純すぎて意味がかえってよく分かりません。**「三角形ＡＢＣとＡＣＢを見比べなさい」と言われても、それでいいのだろうかと不安になります。やっぱり、折り紙方式で、頂点を重ね合わせる方が、実感が湧きます。

もう１例、単純な方が理解しがたいものを挙げましょう。

問題②

「１０３－65＝？」の？の値を求めよ。

〈小学校で教えるやり方〉

引かれる数は１の位が小さいので、10の位から10を借りたい。

だが、引かれる数は10の位がゼロなので、100の位から100を借りることにする。100の位をゼロにして、10の位を9にし、1の位に10を貸す。

それで計算すると、答えの1の位は13－5だから8になる。

次に10の位の計算をすると9－6だから3になる。

以上、まとめて**答えは38**。


〈電卓の中での計算方法〉

基数（と呼ばれる、何かキリのよい大きな数）として1000を選ぶ。引く数65の補数は935である（65＋935＝1000ということ）。

引かれる数に935を足す。103＋935＝1038となる。

そこから、基数の1000を引いた、**38が答え**。


引き算は、上の位から数を借りなければいけない場合に、とても面倒です。この例のように、上の位がゼロなら、さらに上の位まで借りにいかねばなりません。電卓の中の電気回路で、このような面倒な手続きをやらせるのは大変です。

電卓は、「引き算は全廃する。足し算だけでやる」という革命的な発想に立っています。足し算だけなら、電気回路で比較的簡単にできるのです。途中で出てくる「補数」ですが、これは電気回路と非常に相性がよく、すぐに計算できます。

電卓の方法を人間も使えば、引き算の手間のかかる計算は全廃できるのですから、算数のテストは楽になるはずです。しかし、一般人にとって、補数を使えば答えが出る理由はピンとこないと思います。それゆえ、**計算手順を覚えようとしても話の筋が見えないので覚えにくく、答えにも自信が持てません。**その結果、補数を使って引き算をする人はあまりいません。

この例から分かるように、単純だからといって楽に理解できるとは限らないのです。「**ほどほどに単純で、ほどほどに実感が湧くことが一番理解できる**」というべきでしょう。

まとめ

○単純すぎる物事は、実感が湧きにくく、理解しにくいことがある。

○単純さには劣るが、話の流れが追いやすい方法が、勉強に適する。

「本当に分かる」には何が必要か？

一口に「分かっている」といっても、それには段階があります。何かの文を読んでその意味を理解できただけという浅い段階もあれば、その情報に関して深くて広い知識も持ち合わせている段階まで、様々です。それは次ページの表のようにまとめられます。

「知っている」ことと「分かっている」こととは、似て非なる意味を持っています。

「アルゼンチンの首都はブエノスアイレスである」とか「古田織部《おりべ》は千利休《せんのりきゅう》の弟子である」とか「複素関数の正則性とは、指定された領域内のいたるところで微分可能であることをいう」といった、知識があるとします。これらを「知る」には、単に他人から教えてもらえば済むわけです。

「知る」「分かる」の段階

理解の程度	状態
知っている	教えられた言葉の情報を、オウム返しで言うことができる。詳しい意味は知らない。
一応、分かっている	教えられた言葉の情報を、別の情報に推し広げることができる。経験を通じて情報の意味を納得したことはない。
実感を持って、分かっている	言葉だけではなく、経験を通じて物事を知っていて、与えられた情報を超えた問題にも、答えることができる。
自分が何を知らないかを知っている	知識と経験だけで答えることができる部分が、非常に小さいことを自覚している。

しかし、それだけでは「分かった」ことにはなりません。**知識を、教えてもらった言葉以外の形に自力で直せなければいけません。**「ということは、アルゼンチンの最高裁判所はブエノスアイレスにあるのだろう」と知識を推し広げることができれば、なかなか「分かっている」状態に達しているといえるでしょう。教えてもらった言葉のオウム返ししかできない状態では、分かっていないのです。

さて、ブエノスアイレスに住んでいる人と、ブエノスアイレスに一度も来たことがない人とでは、たとえ両方とも「アルゼンチンの首都はブエノスアイレスである」ことを分かっているとしても、その知識の力はずいぶん違うといえます。どういう街であるかをまったく知らないでも、地名は記号にすぎないと割り切って、知識の言葉を記憶しておくことはできます。しかし、なぜ首都であるかの理由までは、単なる個別の知識では推測できないので分かりません。**実体験のない人は、言葉に表された知識をいくら持っていても、それらの範囲外のことは知りえないのです。**

実際に街に住んでいる人にとっては、ブエノスアイレスは記号ではなく、実体です。記号に要約することができない、いくつもの顔を持った物事です。「良港があり、農産物の集積地となったから、最大の街となった」という事情は、言葉の知識を聞かされずとも、住んでいれば身に付きます。言葉の形の情報に限定されない、幅広い情報まで分かっているのです。

第2章「テストでのミスを防ぐ」でも触れましたが、**「百聞は一見に如《し》かず」の通り、実体に触れた経験の有無が、「分かっている」度合いに大きな違いを生みます。**

言葉は便利なものです。話題の対象が目の前になくても、大昔のことでも、まだ起こってないことでも、それについて語ることができます。

その便利さと引き換えに、生半可な理解が生じるという弊害《へいがい》が起こります。見たことも触れたこともない事柄を、言葉の情報だけを集めて、それで分かった気になるのです。

学校の授業では、世界の森羅万象《しんらばんしょう》を見て触れるのは大変ですから、とりあえずは分かった気になって、勉強を進めざるをえません。言葉の情報だけでも先に勉強しておきましょう。のちの人生で、抽象的に勉強しておいた学問が、目の前の具体的な仕事に直結して、大いに役に立つかもしれません。それまでは我慢の勉強です。

千利休はある日、弟子たちに「瀬田の唐橋の擬宝珠《ぎぼし》（橋の手すりに付けられた飾り）には見事な形をしたものが二つあるが、知っている人はいますか？」と質問しました。弟子たちがどれのことだろうかと話し合っていると、弟子の古田織部がその場から姿を消しました。彼は即座に馬を駆り立てて、瀬田の唐橋まで見に行ったのです。それほどまでに向学心が強かったと分かります。

「百聞は一見に如かず」は誰でも「知って」いますが、「早く実物を見ないと勉強が進まないのでじれったい」という点まで「分かって」いるべきです。

さて、理解の最終段階は、「自分が何を知らないかを知っている」という状態です。ソクラテスも孔子《こうし》も同じことを言っています。**知らないことを自覚しているから、何を勉強す**

るべきかが分かるのです。より広く深い理解を得るには、この自覚が必要です。

テストでは、教えられた範囲内でしか問題が出ません。教わってないことは何であるかと、気にする必要はありません。

しかし、実社会に出ると、知らないがゆえに損をしたり、失敗したりすることがしばしばあります。「自分の知らない事柄を挙げられる」とは矛盾した話です。無知の自覚を得るのは、かなり難しいといえます。近道はなく、ゆっくりと一生をかけて、自分の知らない世界を体験して、自覚を得ていくものだと思います。

まとめ

○深い理解には実感が必要。

○知っているだけなら、教えられたことしか答えられない。実感を持って理解しているなら、深い質問にも答えられる。

要素還元主義を超えた勉強が面白い

私たちが学校で勉強する学問は、ここ五百年ぐらいの近代に作られたものです。**近代科学の特徴は、「要素還元主義」と単純化です。**

近代科学は、はっきりとして単純な形で知識をまとめます。知識を作るには、対象物を細かい要素にバラバラにして、知識に関係する要素は取り上げ、無関係な要素は取り除くことが鉄則です。**必要な要素の働きをとらえれば、全体の現象を説明できるというのが要素還元主義です。**「水は、水素原子2個と酸素原子1個という要素が組み合わさったもの」であり、「レモン汁が酸っぱいのは、クエン酸という酸っぱい要素が含まれているから」です。要素は何であり、それが何をするかを探ります。

大昔は、万能薬が珍重されました。胃の痛みにも、目のかすみにも、体の疲れにも、何にでも効くとうたう薬が良い薬であると、人々は思っていたのです。しかし、確実に効果があるかといえば、心もとないものがあります。

現代の薬は、1つ2つ程度の症状にしか効かないが、確実に効果があるものとして作られています。鎮痛剤は痛みを抑えることしかできませんが、効果が確実ならいいのです。「柳《やなぎ》の樹皮をかじると、痛みが和らぐ」ことは大昔から知られていました。要素分割の姿勢で研究することで、柳のどの成分が関係するかを突き止めたのです。「アスピリンが痛覚を遮断《しゃだん》する」という知識をつかんだからこそ、確実に効く鎮痛剤ができました。

現代の学校で教わる内容も、基本的には要素還元主義で単純にまとめられた知識です。覚えることに無駄がなく、効果もしっかりある知識なので、とても効率的ではあります。

しかし、本当に要素還元主義だけで勉強していけるものでしょうか？

たとえば、英語では定冠詞（the）を付けるべきときには付けないと間違いとなります。「特定できるものには定冠詞を付ける」が基本ルールであり、そう学校で教えますが、このルールは例外が多すぎて、あまり役に立ちません。

川の名前には定冠詞は付きますが、山の名前には付きません。都市の名前には定冠詞は付きませんが、オランダの街ハーグは例外でザ・ハーグとします。お酒のラベルを見ると、銘柄《めいがら》に定冠詞を書いてあるものもあれば、ないものもあります。フェイスブック社は、発足時にはザ・フェイスブックと名乗っていましたが、その後、取り去りました。映画の題名は定冠詞が付くことが多いですが、『遠すぎた橋』の英語原題は、「A bridge too far」と不定冠詞になっています。

こうした文法上の例外は、歴史的な経緯や、個別的な事情によって生じます。英語の文法書を読めば、例外が一通りは書いてありますが、雑多でとりとめがなく、暗記しにくいものです。

例外が多いなら、それは「例外」と呼ぶべきではありません。むしろ、いろいろな用法が併存するのが当たり前だと見なす方が潔《いさぎよ》いです。昆虫《こんちゅう》採集を楽しむように、文法の珍事例を採集してみましょう。**日頃《ひごろ》接する英語の歌や、映画、商品のラベルなどを観察して、それぞれの事情を考える方が、勉強としては正しいです。**

原則を教えてもらったから、それでテストも大丈夫だと過信してはいけません。近代科学のやり方ではうまくいかない分野も多いのです。

近代科学のもう一つの大きな特徴として、「答えは存在する」という前提を掲げることが挙げられます。逆にいえば、客観的ではなく、決着のつかない水掛け論的な議題は、学問としては扱わないのです。答えがあるから要素還元をやってみようとなるのであって、それ以外は相手にしません。学校で習うことも、テストに出ることも、答えがあることです。**しかし、現実社会には、答えがないものがたくさんあります**。うっかり、そのようなものを題材にしたテストは、答えがないものになるかもしれません。

長文読解問題ではしばしば、作者の言いたいことを問われます。司馬遷《しばせん》の『史記』は、中国の古典文学の最高峰ともいうべき歴史書であり、多くの偉人の伝記が集められています。司馬遷は、伝記の冒頭で「この人は、〇〇というすごいことをした偉人だから伝記を書く」と誉めたたえておきながら、結論部では「この人はダメである」と酷評《こくひょう》する場合がありま す。「作者の言いたいことは何ですか?」と問われても、こうも矛盾していては答えようがありません。

矛盾は文章としてはひどい欠陥ですが、このような例が『史記』にはいくつもあるので、司馬遷がわざとそう書いたことは明らかです。それがかえって考察の余地を生み出して、『史記』の魅力となっています。

以上のように、**近代科学の要素還元は学校の知識伝授の基本ですが、それだけですべてを説明できるわけではありません。きれいで単純な知識にならないことも世の中にはあります。**覚えるべきことが多くて、効率が悪くなります。しかし、物事の複雑な側面こそ、学問として深くて面白いところであって、しっかり観察して勉強するべきことです。それができて、ようやく物事の本当の「理解」ができるのです。

まとめ

○近代科学は、複雑に考えることをやめて、物事を要素還元するという作戦に切り換えて、成功した。

○要素還元ができない、例外だらけの物事もある。それらは昆虫採集の要領で、事例をしっかり観察する。

○本当の理解は、シンプルな基本法則の暗記ではなく、例外への考察を通じてなされる。

間違えることは最高の勉強法

間違えることを経験せずに、何かを理解することはできるでしょうか？

自分自身で間違えないと本当には理解が進まないので、知識のうわべだけを他人から教えてもらってもダメだと、ソクラテスは言っています。

ソクラテスはある少年を使って実験してみました。「正方形の各辺の長さを2倍にすると、その面積は何倍になるか？」という問題を少年に出してみました。少年は、「面積も2倍になる」と答えました。

ここでソクラテスは、図を描いて確かめてみなさいと指示します。図にすれば、面積は4倍になることは見て分かります。この瞬間になって初めて少年は「分かった」と言えます。それまでは、上滑りの知識を口にして、分かったつもりになっただけです。

これは単なる勉強テクニックの一種というより、唯一の勉強法というべきではないでしょうか。初めて自転車に乗る人は、1回も倒れずに進めるものでしょうか？　ほとんどの人は倒れると思います。むしろ、**間違えることから学んでいると言うべきです。間違えることで、正解への道が見えてくるのです。**「自転車はこうこぐのだよ」と言葉で伝えられたからできるようになったのではありません。

新しい試みは最初はどうせ失敗するものです。しかし、失敗を経験しないと学びになりません。**早く失敗して、早く学ぶことこそが、競争に勝つ道なのです。**「石橋を叩《たた》いて渡る」ようでは、失敗はしませんが、遅すぎるのでライバルに抜かれ、滅びます。

自動車は、19世紀に多くの発明家によって、徐々に主要な部品やメカニズムが発明され、形になっていきました。ベンツ博士もそんな発明家の一人で、試作した自動車を実験として短距離を走らせては改造するということを繰り返していました。

ある朝、ベンツ博士が目覚めると、妻も子どもも家におらず、試作車もなくなっていました。妻が子どもを連れて、試作車に乗って遠くまで旅に出かけていたのです。**これが人類初の自動車旅行となりました。**専門家は性能を詳しく知っているがために、過大な挑戦には慎重になります。案の定、この旅行ではトラブルが多発したのですが、妻と子どもたちはなんとか乗り切りました。この旅行がなければ、発明家本人ですら自動車の真の将来性になかなか気が付かず、ビジネス展開が遅れたかもしれません。
パソコンや、それを動かすのに必要な基本ソフト（OS）は、世界中いたる所で買われて使われています。その売り上げは莫大《ばくだい》であり、それらを製造する会社は人類史上空前の巨大なものに成長しました。では、最初にそれらの大発明をした会社が、そのまま先頭走者として巨大企業になったのだろうと考えるのが自然ですが、現実はそうではありません。最初の発明者は、すでにそこそこ儲《もう》けていたので、海の物とも山の物ともつかぬ新しいビジネスには腰が重く、本格始動を見送りました。そのすきに、社員数人の零細企業が、後追いという不利を抱えながらも、**「とにかくすぐやる」という気合だけでチャンスをつかみ取ったのです。**

まとめ

○間違えていないうちは、本当にはまだ分かっていない。
○早く失敗せよ！（Fail fast!）つまずいてからが本当の勉強。

ある名著——擬人化と失敗例活用というテクニック

ホロビッツとヒルが著した『The Art of Electronics』という本は電子回路の作り方を教えてくれる教科書の金字塔であり、初版発行以来何十年も必読書としての地位を維持しています。

必読書の評判の通り、とにかく分かりやすいのです。実にうまい工夫がほどこされています。

トランジスタという素子（電子回路の部品）についての説明を見てみましょう。

トランジスタの役目を理解するには、「トランジスタ・マン」という小人が中に入っていて、任務をこなしていると思うと楽だといいます。

トランジスタには、「ベース」と「コレクタ」と呼ばれる電流の入り口が2つあります（次ページの図）。

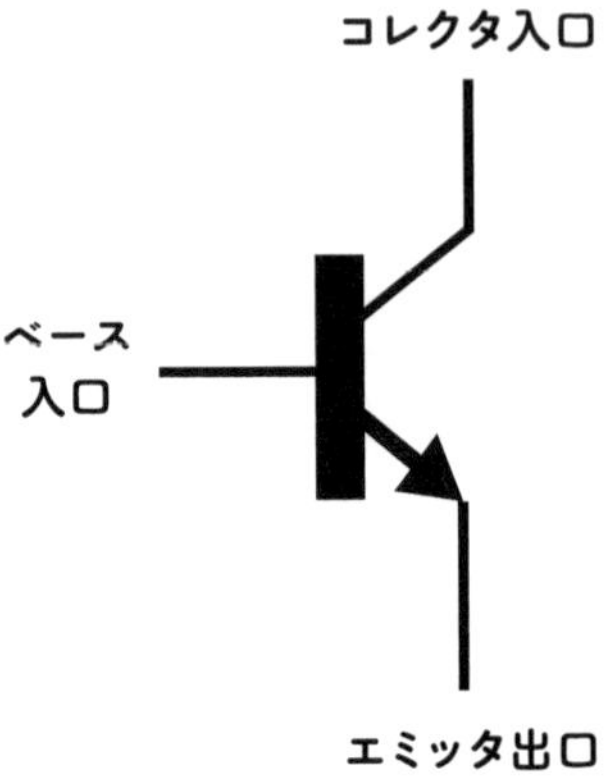

トランジスタの回路記号（npn 型）

トランジスタ・マンの任務は、コレクタから流れ込む電流の量が、ベースから流れ込んでいる電流の量のナントカ倍になるように調整し続けることです。ナントカ倍はあらかじめ、たとえば１００倍といった一定の値に決められています。

トランジスタ・マンは、ベースの電流はいじることができませんが、コレクタの電流に対しては、その電流の通り道にある抵抗の強弱を調節することで、電流の量を増やしたり減らしたりできるのです。

この擬人化は見事で、トランジスタの本質をコンパクトに説明できていると思います。このたとえ話が分かれば、あなたもトランジスタの役目を完全に理解できたといえます。

他の人による説明はどうでしょうか。「トランジスタ」をネット検索してみると、いくつもの説明が出てきますが、私はそれらを読んでもピンときませんでした。トランジスタ・マンなど登場しませんし、何か難しい概念が出てきて、あれやこれや周辺的なことを説明

トランジスタの仕事をトランジスタ・マンで例えた図

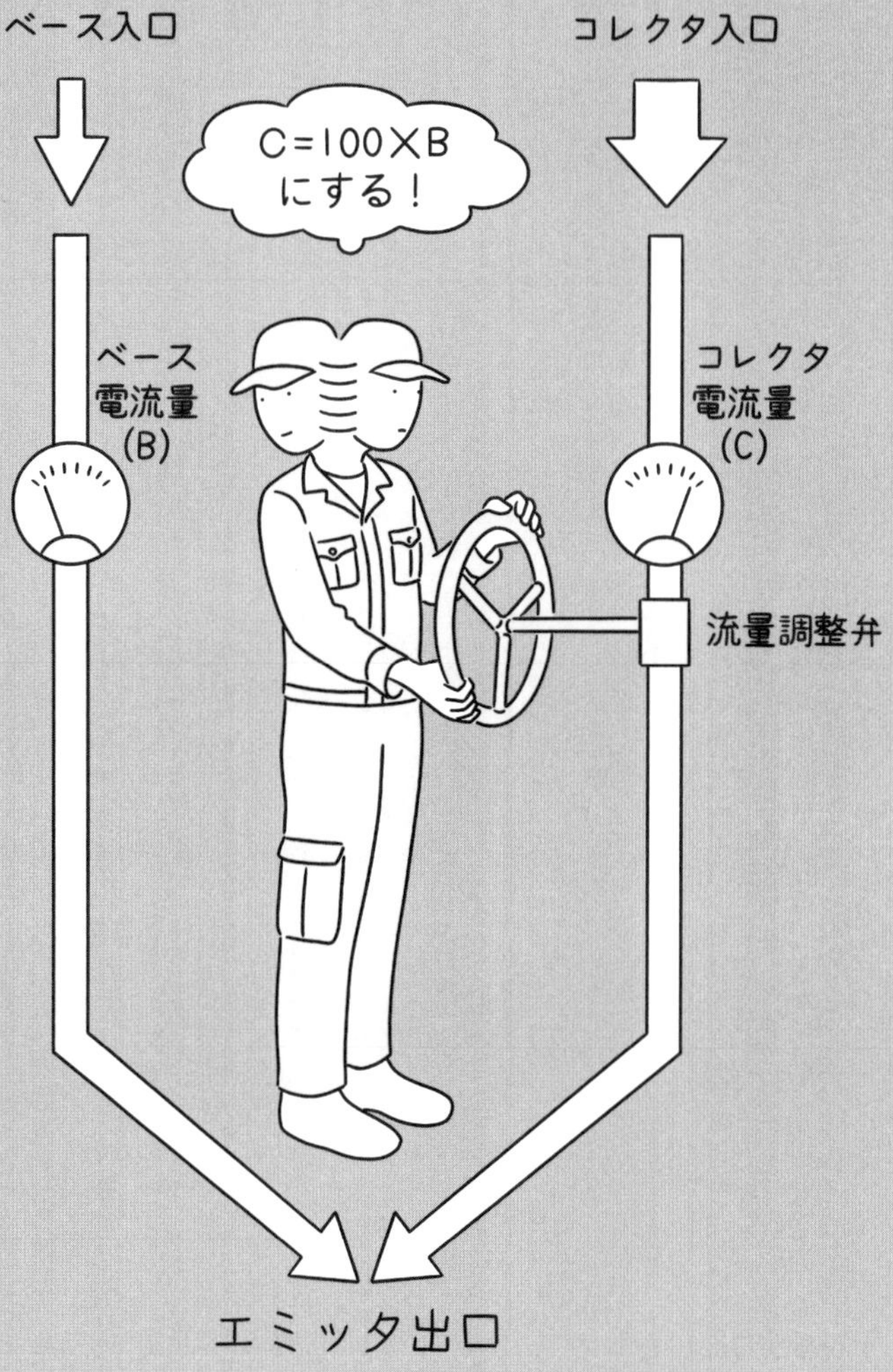

していると感じました。

改訂第2版には、「うまく作動しそうだが、実際にはダメな回路の設計例」が練習問題として、大量に掲載されていました。回路のどこが間違いなのかを、読者が突き止めるという練習問題です。

簡単な回路例なら、素子への電線のつなぎ方があからさまに間違っているなど表面的な欠陥があるので、すぐに分かります。だんだんと難しい例に挑戦していくと、素人目《しろうとめ》にはどこが悪いのか分からなくなります。それは自分の理解がまだまだ浅いということです。教科書を読み返して、自分の抜けている点を勉強し直すことができました。

うまくいく方式の例を示して、それがうまくいく理由を納得させるというのが、通常の教え方ですが、なんとも張り合いがないものです。

逆に、「うまくいきそうだが実際はダメな例」は、興味が湧きますし、勉強のやる気が出ます。というのも、失敗例は、何が原因なのかという謎《なぞ》があり、それを解明する面白さがあります。

また、**人間は成功よりも失敗に強く興味を持ちます**。ニュースの多くは事故や事件などの、要するに失敗の出来事についてのものです。何かが成功しているというニュースは聞き逃しても害はありませんが、失敗のニュースを聞きそびれると自分が逃げ遅れるかもしれません。それゆえ人間は、失敗の話ほど真剣に聞きたがるものなのです。

「**上手は下手の手本。下手は上手の手本**」と世阿弥《ぜあみ》が言った通りです。こうした工夫が、他の教科書でも使われたらいいのにと思います。

まとめ

○名著を読めば、よく分かる。名著を探そう。
○説明の工夫としての擬人化。
○上手は下手の手本。下手は上手の手本。自分の理解度を点検するための失敗例を他山の石として活用しよう。

Column

私が古典を読む理由

私は安全工学を専門にしています。世の中では、「○○は安全か？　危険か？」という論争がしばしば起こります。それを整理することは安全工学の役目です。

町に気性の荒い牛がいるとしましょう。近所の人々は危ないから飼うのをやめろと言うのに、飼い主は安全だと言い張ったら、どうしますか？

約4000年前にできたハンムラビ法典では、「気性の荒い牛だと判定されたにもかかわらず、角にカバーを付けないままにして、人にケガさせたなら罰金」と定めていました。禁止事項を述べるだけではなく対策まで指導しており、現代の法制度にも引けを取りません。ハンムラビ法典を「目には目を、歯には歯を」のような野蛮なものだと教えては乱暴です。

安全に関する法律は、大昔ほど繊細《せんさい》で深く考えて作られているという傾向があります。大昔の国では人々が比較的平等であり、法に基づいてトラブルを処理していました。時代が下った中世では、王様や領主の独裁になってしまい、法律は雑になります。

第5章

研究者の探究の流儀

――間違いのその先へ

研究者とは何者か？

研究職という仕事があります。見かけだけで語れば、大学や企業の研究所で、何かまだ分かっていない謎《なぞ》について、自分で考えて、行動して、解明する仕事のことです。

研究職に就くには、標準的には、大学に進学し、卒業後の5年間、大学院で研究室に属して修業をします。そこで研究成果を挙げて、大学の先生なり企業の研究員として就職するという段階を踏むことになります。この進路をたどった人は、世間からは研究者と見なされるといえます。

見かけはさておき、**研究職の本質とは、自分が取り組むべき謎を見つけることも仕事のうち**であり、むしろそれが仕事の中心です。謎は無数にあり、解いてもしょうがないくだらない謎がごろごろしています。自分が見かけた謎を手当たり次第に解いていても、ろくな成果にはならず、誰からも誉められません。大発見や大発明をしようというのなら、それにつながるよい謎を見つけ出さねばなりません。

なお悪いことには、大発見・大発明は、ちょっと小耳にはさんだ途端に、偉大さが分かるというものではありません。『ファラデーの電磁誘導の法則』ほど、現代文明に恩恵を与えたものはありません。これのおかげで発電ができるのです。しかし、ファラデー本人（1791〜1867、イギリス）は、この法則は何の役に立つかは思いつかないと言っています。たしかに、電力会社も家電もない時代に、弱い電気を起こせる実験装置があったところで生活の役には立たなかったのです。

大発見・大発明は、何十年も後になって、実は偉大だったと再評価されるパターンが多いのです。実際、ノーベル賞受賞者は高齢であることが多いです。若い頃《ころ》に発見・発明したのに、その当時は評価されなかった人々なのです。

すでに解明されていることと、謎との間には、非常に厚い壁があります。謎は簡単に解けないからこそ、ずっと謎として残っているわけです。研究者はそれに挑戦するわけですから、大変な仕事といえます。

解明されていることの勉強が得意な人であっても、謎の扱いには苦労することになります。出題パターンを覚えておけばいい線までいけるペーパーテストとは、謎の探究の世界はまったく違います。**小賢《こざか》しいテスト攻略法は、答えを裏技で出してやろうという魂胆が染みついてしまうので、むしろ地道な研究の邪魔になるかもしれません。**

この章では、テスト攻略法とはがらりと違う、研究者の考え方を紹介したいと思います。

まとめ

○学生時代は問題を与えられるが、研究者は何の謎を解くべきか、自分で見つけないといけない。

○解いて価値のある謎を見つけることは難しい。

○テストの成績が良くても、研究者の素質があるとは限らない。

学校で教える「正解」を疑おう

田植えでは、苗をまっすぐ、等間隔に植えることが大切です。稲の列がゆがんでいると、その後のすべての農作業に差し障《さわ》るばかりでなく、苗ごとに当たる日光が不均一になって収穫にばらつきが生じます。最初を丁寧に作っておかないと、後のすべてがダメになるのです。

学校では所定の知識を決まった順番で系統立てて教えますが、それは田植えに似ています。その後の勉強や人生で一番便利に知識が使えるように、最善の順番で教えていくのです。

もう一つの教育のスタイルとして、**何を勉強するかを生徒自身が自主的に選ぶという方式**があります。「自由研究」とか「探究」といった形で行われていますが、量としては少なく主流ではありません。自由に題材を選ぶと、先生も専門家も誰も答えを知らない問題を選んでしまうかもしれません。自分でやってみて確かめるしか手段がない題材もありえます。しかし、正解が見つからなくても結構。**正解を覚えることより、自分で問題に立ち向かう経験をしてみることに意味があるのです。**

一方、**系統立てた教育では、問題の解き方がはっきり分かっていて、正解が確実にある**

という建前で学んでいきます。正解へ到達する手段を覚えることに意味があります。

小学校に入ると、最初に「あいうえお」や「1＋1＝2」や「数はゼロで割れない」などを学びますが、これが正しいと信じて疑わないわけです。

1 あ行は「あいうえを」だった

あ行は何百年も、「あいうえを」であると思われてきました。江戸時代の中頃、つまりわりと最近になって、本居宣長《もとおりのりなが》が「あいうえお」が正しいと発見し、今の学校ではこの形で教えています。

授業で先生が口を滑らせて、この裏事情を話してしまうと、ころころと正解が変わっていいのか、そもそも「あ行」や五十音図とは誰が、いつ、何のために作り、どうして間違え、なぜ本居宣長だけが間違いを発見できたのかという、一切合切《いっさいがっさい》を説明しないと収拾がつきません。それは小学1年生には難しすぎるので、この話は伏せて「あいうえお」だけを教えるわけです。

②
「1＋1＝1」かもしれない

「1＋1＝2」は当たり前の代表格ですが、これにも裏の事情があります。
「1＋1＝1」となる屁理屈《へりくつ》を考えてみたことはないでしょうか。たとえば、砂の山を2個作り、それを合体させれば1つの山になります。だから「1＋1＝1」だと言い張ってみても（発明王エジソンは、そう言って先生を困らせました）、山の体積が2倍になっているから、やっぱり「1＋1＝2」だと反論されてしまいます。

素人が作る屁理屈は簡単に論破されてしまいますが、数学のプロが作った『バナッハ・タルスキーの逆説』と呼ばれる理屈では、「1＋1＝1」の現象を起こせます。バナッハ・タルスキーの逆説が発表された当初は、異常な結論が導かれるのなら、きっとどこかに論理的な間違いがあるはずだと思われていました。しかし、論理に欠陥は見つかりませんでした。

結局、バナッハ・タルスキーの逆説が成り立つ「奇妙な世界」が存在してもおかしいとはいえないし、成り立たない「当たり前の世界」もあってもよいということになりました。厄介《やっかい》なのは、**「奇妙な世界」の方が数学的には素朴《そぼく》であり、高校までの数学を呑気《のんき》に使っていると逆説が成立する「奇妙な世界」に迷い込むことです。**「1＋1＝2になる当たり前の世界」は、数学的にはむしろクセのある仮定（専門的に言うと『選択公理を認めない』という仮定）を置いた世界となっています。

バナッハ・タルスキーの逆説は、何か浮世離れしていて、日常生活には関係ない話かといえば、そうではありません。私は、制御工学という実用的な科学を勉強しましたが、そこでもこの逆説が登場します。工学理論を作るにあたり、素朴な数学を使いたいので、「奇妙な世界」を仮定して話を進めます。しかし、我々が住んでいるこの世は、逆説が成り立たない「当たり前の世界」です。そのずれの影響は、特殊な実験では目立って出現します。

3 数字をゼロで割ってはいけないはずだが、私たちは割っている

「数はゼロで割ってはいけない」と教わります。

その理由はこうです。

割り算は掛け算を打ち消す効果があります。2に3を掛けると6になります。6を2へと、元に戻すには3で割ればいいわけです。

さて、「6÷0＝?」を考えてみましょう。割り算は掛け算の打ち消しという観点から見れば、「ある数に0を掛けたら6になった。元の数に戻したいので0で割ろう。元の数は何か?」というストーリーになっています。

しかし、これはおかしなことが起きています。どんな数でも0を掛けられれば0にならねばなりません。それが6になったのでは、つじつまが合いません。ストーリー自体が壊れているということですが、**いっそのこと「0で割ることは禁止」というルールにして、この厄介事を考えないようにしているのです**。

「0÷0＝?」はどうでしょう? 「ある数に0を掛けたら0になった。元の数に戻そうと思うので0で割ろう。元の数は何か?」という話の流れには、おかしなところはありません。元の数は相変わらず分からないという点だけがキズになっています。

「0を0で割った答えは分からない」という理屈は正しいことではありますが、実際は違

うといえます。というのも、現代の我々の文明生活では、この計算を大量にこなしているからです。

骨折した際にはレントゲン写真を撮りますが、写真は厚さゼロのペラペラのシートであり、骨の厚みを表現することができません。しかし、医者なら、写真からでも経験に基づき想像力を働かせて、骨の厚さを推定し、骨が三次元的にどう折れているのかを認識できます。ゼロにされる前の情報を復元できるのです。

テレビの画面は平面であり、厚さゼロですが、私たちはそこに映されるテレビの出演者や物の厚さを感じ取ることができます。

どちらの例でも、人間は厚さゼロにされた情報から、元の厚さを復元できています。人間にできるのであれば、コンピューターもできるでしょう。つまり、**計算によって「ゼロにされたものの元の値を復元する」という作業ができるはずです**。実際、大きな病院にある医療画像装置は、骨折の三次元の形を自動で分析できます。それ以外にも、平面から立体を復元する計算は現代文明ではたくさんあります。

技術的なことを少し述べておきましょう。「疑似逆行列」というものを使うと、ゼロにされた厚さをそこそこ正しく復元することができます。復元が正確である保証は理論的にはありませんが、実用上は十分正しいのです。素晴らしい技術ですが、疑似逆行列を手で計算するのは大変なので、高校や大学の授業では扱いにくいのです。計算に時間がかかるものを、ペーパーテストの題材にはできません。そのため、初等中等の教育では教えません。

4 基礎的な物事こそ、正しさの事情は複雑

学校で系統的に淡々と素早く教えられることであっても、いったん立ち止まって、深く考えてみたり、歴史を探ってみると、簡単に正しいと認められるものではないかもしれません。特に、小学校の低学年で学ぶことは根本的なことですから、本当は一番難しいことだらけなのです。

今、世の中にある通説をすべて正しいと信じてしまっては、それ以上学問は変化しません。通説を疑って、それを転覆したり、改造したりすることで、新たな通説が生まれ、学問は発展します。研究の第一歩は疑うことにあります。

まとめ

○学校では効率のために、知識をシンプルに整えた形にして教える。それは分かりやすくて便利であるが、細かい事情は抜け落ちる。

○かなり基本的で、疑いのないような事柄も、深く考えてみると簡単には正しいといえないことがある。

○当たり前に正しいことを疑うことで、学問は発達してきた。

間違った問いに答えることは、大失敗になる

正しいことであっても、それを信じすぎると間違いになる場合が、多々あります。

次の問題を考えてみてください。

問題①

太郎と次郎は、2人だけの秘密の会話をしたい。しかし、周りに他人がいるので、会話はすべて盗み聞きされてしまう。

他人に内容がばれないように、言葉を暗号に変えてやりとりしたいが、暗号の作り方や戻し方も、これから2人で会話して決めないといけない。当然、他人も方法をすべて聞いてしまう。

このような状況で、太郎と次郎は、他人にばれないように暗号で会話できるだろうか？

理論的な答えは「できない」です。他人に、最初から洗いざらい立ち聞きされてしまうのですから、防ぎようがありません。

しかし、現代の私たちが使っている、インターネットでの暗号通信は、実はこの通りの問題設定に立っています。

スマートフォンやパソコンが、暗号を作ったり戻したりする手順は、世界に広く公開されています。誰でもスマートフォンを買えば、暗号作成・復元の手段を手に入れることができるのですから、手順は隠しようがないのです。

インターネットでの通信は、電波で飛ばしたり、ネットワーク上をあちこちに中継したりしますから、他人が立ち聞きできます。

このように暗号通信には最悪の環境ですが、私たちはスマートフォンで買い物をするなど、秘密を盗まれたらお金も取られるという、危ないことを平然とやっています。現実には、盗まれる事件は大して起こっておらず、我々は安心しています。**秘密を完全に守ることは理論的には不可能ですが、実質的には十分に強く守れる方法が発明されて、我々はそれを使っているのです。**

そのような技術はいくつか発明されていますが、代表はRSA暗号という方式です。この名前は、発明者であるリベスト、シャミア、エーデルマンの3人の頭文字を取ったものです。リベストとシャミアがアイデアを考えては、エーデルマンに正しさの検証を頼み、欠陥を指摘されてボツになるということを繰り返した末に、生まれたものです。この分野の慣例では、論文での著者の順番は、順不同であることを示すためにアルファベット順に並べることが通常でした。それに従えば「ARS暗号」となるところでしたが、エーデルマンは技術としてまだ十分ではないと感じていたため、自分の名前を一番責任の軽い末尾に下げたという逸話《いつわ》があります（この暗号は、「大きな数の素因数分解はとても難しく、第三者はコンピューターを使ってもそれを解くことが事実上できない」という仮定が成り立つかぎりは有効です。しかし、素因数分解の技術はさかんに研究されていますし、他にも暗号を破る戦法は編み出されていますから、仮定を全面的に信じてよいとはいえません）。

RSA暗号は、理論的不可能と実質的可能の間という、ギリギリのすき間を突いてチャンスをつかみ取った大発明なのです。**「それは理論的には不可能である」という「正しい」意見を真に受けた人は、そこで思考を止めてしまい、発明のチャンスもめぐってきません。**

人間の思考での間違いにもいろいろあります。**最悪の間違いは、不適切に立てられた問題に、答えてしまうことです。**この暗号の例の場合、「理論的に可能か？」という形で立てられた問題に答えようとすると、行き止まりしか待っていません。問題なら何でも手を付けて解けばよいというものではないのです。

科学の発展の過程は、矛盾めいています。

○すでに発見や発明されている知識がある。それらは大勢の人が検証して、正しさが十分に保証されている。正しさの理由を学校で「科学」として教わる。

○正しい知識を、何らかの形で否定することによって、新しい発見や発明につながる。

この相反する2つを行き来することで、科学は成長してきました。

いわゆる「頭がいい」人ほど、研究者として成功しにくいと、私の恩師は言っていました。頭のいい人は、理論をよく勉強しているので、正しさの検証が得意なのです。何を聞いても、「それがそうなる科学的な理由は○○だ」と結論を見透かしてしまいます。結論が出てしまっては、今さら自分から本腰を入れて深掘りする気も起こらないわけで、何も研究しないということになりがちです。

禅の修行では、「公案」と呼ばれる、答えがさっぱり分からない難題が出されます。「両手を叩《たた》くと音が出るが、片手で出す音はどんな音か？」といったものです。答えがないよ

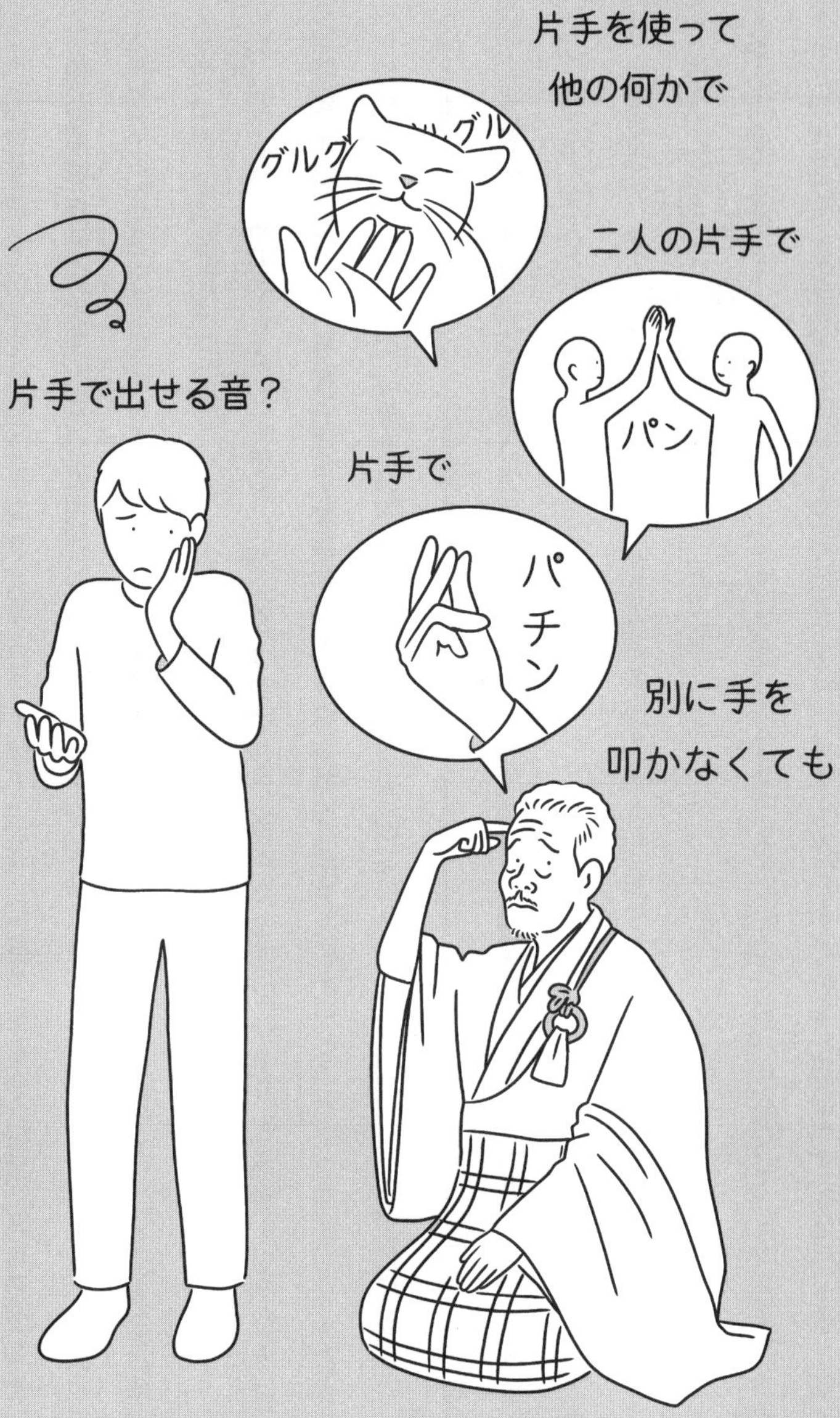
片手で出せる音？
片手で
パチン
二人の片手で
パン
片手を使って
他の何かで
グルグ
グル
別に手を
叩かなくても

うな問題であっても、あえて見つけようと挑戦します。**問題をいろいろな角度からとらえ直してみるわけです。**こうした経験を積めば、不適切に立てられた問題に対して、安易に答えてしまう失敗は避けられるようになるでしょう。

まとめ

○不適切に立てられた問題に安易に答えてはいけない。

○理論的な正しさだけを求めれば、それで自分が欲しい答えにたどり着けるとは限らない。

ティンバーゲンの4つの問い

自由研究や探究では、何を調べるか、そのテーマを自分で決めなければなりません。**調**

べて考えるにしても、何を、どの観点から調べるかを選ばないといけないのです。

ニコ・ティンバーゲン（1907〜88）は動物行動学の始祖ともいうべき大学者で、ノーベル賞受賞者でもあります。彼は、動物のどんな行動についても、4つの問いを立てられると言いました。

① それは、どのようなありがたみがあるか？
② それは、どのようなメカニズムで成り立っているか？
③ それは、どのように成長したり、習ったりできるか？
④ それは、昔はどのようであって、未来ではどう変化していくか？

この4つの問いそれぞれが研究のテーマになるのです。
たとえば、人間は雨が降ると傘《かさ》を差しますが、この行動について4つの問いを考えてみましょう。その答えは、

①　雨にぬれずに済み、かぜをひかない。
②　雨が降っていることを肌《はだ》で感じると、傘を手で取り出して開き、支える。
③　幼稚園児ぐらいから傘を扱う器用さを持つ。大人になると、行動は洗練されて、天気予報を見て、傘を用意するようになる。
④　昔の人は、作業の邪魔になる傘をあまり使わず、笠《かさ》や蓑《みの》を使った。未来では、ドローンのように自分で浮かぶ傘が発明されて使われるかもしれない。

といった感じになるでしょうか。いろいろ考察できると思います。

この手を使えば、研究テーマを作り出すことは難しくありません。自分の身のまわりにある物事について、４つのパターンを当てはめればよいのです。「桜は落葉する」とか、「日本は左側通行である」とか、「１９６７年の国連安全保障理事会決議２４２号は、英語版とフランス語版とで内容に違いがある」など、どんな現象についても、一考に値する問いを立てることができます。

逆にいえば、**問いの姿勢を持たないままでは、物事を深く考えないまま、頭を使わない**

まま、日々を過ごしてしまいます。それでも問題ないのかもしれませんが、大発見・大発明のチャンスを逃しているのかもしれません。

ティンバーゲンの視点は理学的であって、自然の探究が中心にあります。私は理学とは違う工学の分野に属しているので、工学ならではの問いを立てます。それは、「人類ができないことを、どうすれば可能にできるか?」という問いです。火星に行きたいとか、ダイヤモンドを掘り出したいといった願望に、自らの創意工夫でどう答えるかが工学の世界です。

まとめ

○研究テーマを見つけることは、ティンバーゲンの4つの問いを使えば簡単。
○身のまわりの平凡なことでも、問いの姿勢を持てば、深く考えられる。

偉大な発見は間違いから生まれる

セレンディピティという言葉が、科学の世界ではよく使われます。偶然にも素晴らしい発見や発明をしてしまう運のよさをいいます。

大発見や大発明は、かなりの割合がセレンディピティ、つまり偶然によって生まれたものです。科学は運頼みなのかと言いたくなるくらい、大量にあります。

○コロンブスは、インドに行くつもりで、アメリカに到着。
○たまたま、電線のそばに方位磁石を置いたところ、電流の有無によって磁石が動くことから、右ねじの法則を発見。
○天然ゴムに硫黄《いおう》を混ぜたものを、うっかり熱したところ、強くて伸び縮みするゴムになった。これが現代的なゴムの発明になる。
○ブドウ球菌《きん》を培養するときにフタをすることを忘れ、たまたま青かびが混じり込んだ。

青かびの周りにブドウ球菌が増えなかったことから、菌を殺す物質を持っていることが判明。これから抗生物質のペニシリンが発見される。

○たまたま、ウランと写真乾板を同じ引き出しに入れていたら、写真乾板がウランによって感光した。これがウランの放射能の発見。

○ダイオード（電気を一方通行にしか流さない素子）の中で、電圧がどうなっているかを調べる実験で、偶然にも、その実験回路がトランジスタとして成り立つ。これが世界初のトランジスタ。

○心臓外科手術中に間違えて、麻酔薬《ますいやく》を通常の10倍多く投与してしまったところ、結果が良好だった。これがオピオイド麻酔術の発明。

○間違って薬品を1000倍多く入れすぎて、電気を通すプラスチックが発見される（白川英樹《しらかわひでき》博士のノーベル賞の研究）。

セレンディピティがこれほどまでに登場するのは理由があります。

「偶然性」の反対は「計画性」です。研究者は、通説の理論に基づいて計画的に実験を進めます。実験はデタラメにやっても成功しません。それは単に実験室を散らかしているだけにすぎず、科学的に面白い現象は起きません。

かといって、通説に従って実験をしても、通説のおさらいをするだけであり、それを超えたことは起こりません。新しいことなど起きず、発見はありません。

偶然にも間違えるとか、たまたま何かと出会うといったことが起こると、通説が想定していなかった状況が生まれます。そのときに新発見が生まれるのです。

科学者には先入観があります。科学者も学生時代には、通説を一生懸命勉強してきたわけですから、その通説が間違っているなどとは、本心では思っていないのです。どの科学者も一応は「通説を疑うことこそが科学だ」と知ってはいますが、あまり疑いすぎてしまうと勉強が無駄になりますし、自分が何の専門家なのか分からなくなります。思いっきり疑う人は珍しいのです。**この先入観を壊してくれるのが、偶然の間違いや、偶然の出会いなのです。**

さて、思いっきり疑う人も、ゼロではないです。

18世紀フランスの科学者ラボアジェは、水を密閉した容器に入れて101日間煮続けるという、奇妙な実験を行いました。その当時の通説では、古代ギリシャのアリストテレスが言ったことが正しいと信じられていました。アリストテレスによれば、「水を熱し続ければ、いつかは乾く。乾いているものの本性は土である。よって水も熱すれば土になる」というのです。

ラボアジェの実験の結果は、水は土に変化することなく、元の水のままだった。当たり前な結果ですが、当時は大発見だったのです。

通説は、我々が見慣れた平凡な状況を観察して作られることが多いので、日常ではありえない思いっきり極端な状況では成り立たないことが多いのです。自然法則の真の姿は、極端な状況で実験して初めて分かります。科学者たちが、超高圧や超真空、超高温、超低温、超高速、超純粋、超遠方といった環境をわざわざ作って実験する理由はここにあります。

これは、「**自然から、その真理を聞き出したければ、優しく尋問しても無駄である。自然を拷問《ごうもん》にかけよ**」（ロジャー・ベーコン、13世紀のイギリスの僧侶《そうりょ》・科学者）という言葉で要約できます。

セレンディピティを当てにして、たまたま間違えたり、たまたま何かに出会って、大発見をするにしても、平凡な環境で実験をしていてはうまくいきません。**あと一歩でうまくいくところまでは、自発的に計画して進めないといけません。**ゴムの発明でも、自分の意図ではなく、たまたま天然ゴムと硫黄をでたらめに混ぜたわけではありません。何か発見が起こりそうだと思って、調合を試していたのです。セレンディピティは完全に運次第という意味ではありません。

まとめ

○偶然に大発見や大発明につながる現象に出会う運のよさをセレンディピティという。
○重大な発見・発明の多くは、学者の計画的行動の結果ではなく、セレンディピティのおかげで得られてきた。
○セレンディピティが起こりそうな、いい実験条件にたどり着くことが、研究者の腕の見せどころ。

理論上可能なものはどこかに実在する

抽象的な物事は理解が難しいものですが、具体的な例を使えるのであれば、理解しやすく、間違えにくいと述べました。勉強では、具体的なものがあればいいといつも思います。しかし、具体的なものはなかなか見つからないので苦労します。

一方で、**自然というものは、抽象的な理論に登場するものの具体例を、どこかに隠し持っているものです。**

抽象的なものの代表といえば、数学で出てくるマイナスの数や複素数です。2匹の猫は見たり触ったりしたことがありますが、マイナス2匹の猫は触れません。複素数匹の猫も触れません。

マイナスの数は、借金を背負うと実感が身に沁《し》みますが、複素数はさすがに手でベタベタ触れる現象の具体例を挙げろと言われて、何か思いつくでしょうか？　学校の授業は淡々と複素数の扱い方について進んでいきますが、複素数を手で触る機会はありません。

私は大学院で勉強していたときに、原子間力顕微鏡という装置で実験していました。ぐらぐらしてはいけない機械なので、部品のネジの締め方も点検せねばなりません。ぐらつき具合というものは、理論的には複素数で表されるのです。測定装置の画面上に複素数のグラフとして、ぐらつきが画《え》になって見られます。ネジ回しを片手に、ゆるいネジを締めてみれば、複素数はじわりと画面の左へ移動し、ゆるめると右にずれます。自分の手の動きに連動して、複素数がずれまわるのを見るのは、なかなか愉快です。**中学以来勉強してきた複素数を、10年経ってようやく、手の中で触る実感を得ました。**

複素数をさらに複雑にした四元数という概念があります。これは、三次元空間での回転を表すのに大変便利なので、テレビゲームの中で大量に使われています。複素数みたいな難しい数学に疲れて、ゲームで遊んでいる人は、実はもっと難しい数学を使って遊んでいるのです。

アインシュタイン（1879〜1955）の相対性理論によれば、宇宙にはブラックホールという天体がありえることになります。しかし、アインシュタイン自身は、ブラックホールは数式から導き出すことはできても、あまりに極端な意味を持った答えであって、実在はしないだろうと考えていました。今は、現実のブラックホールがいくつも発見されています。理論的に可能なことは、自然界のどこかに実在する。科学の歴史を見るとそう思えます。

学校で勉強した抽象的なことは、テストが終わってしまえば、人生では使い道がないものだと、思われがちです。その感想は、具体例に出会っていないから湧いてくるものだと思います。具体例を探すという習慣を持っていると、勉強にもやりがいが出てきます。

まとめ

○具体例を使って勉強すれば、抽象的なことも分かりやすい。

○どんなに抽象的で浮世離れしたことでも、理論的に可能であるならば、その具体例が自然界のどこかに実在するはず。

間違えたと分かった瞬間がチャンス

古代中国の軍事研究家の孫子《そんし》は、「戦いは勝算を得てからするものである」と述べています。勝てるチャンスがあるという甘い見積もりではダメです。自分と相手の状況を正確に把握《はあく》し、**勝てる作戦を立ててから、それを実行するのです**。「勝ってから戦え」ということです。下手な将軍は、一か八《ばち》かの運だめしに出てしまい、往々にして負けます。

科学の実験も同じで、「こういう現象が起こるはずだ」という勝算の仮説を立ててから着手します。実験というと、あれやこれやと思いつくままに試すようなイメージがありますが、それではダメです。自然というものは甘くなく、もしかしたら面白い現象が起こるかもしれないと期待しても、そんなことは起こりません。適当に材料を煮込んでも美味しい料理はできません。事前に綿密に計画を立てて初めて、美味しい料理ができるのです。

もちろん、実験では仮説の予想が外れることもあります。これは、**計画がうまくいかなかったという点では失敗ですが、予想外のことに出くわしたという点ではとてつもない成**

功です。通説が予想することが成り立たないのですから、学説をくつがえす新発見かもしれません。

ラザフォード（1871～1937、イギリス）のグループは、金箔《きんぱく》にアルファ線という放射線を当てるという実験をしました。実験前の予想では、アルファ線は金箔を突き抜けるだろうと考えられました。実験してみると、予想通りに突き抜けたアルファ線も多くありましたが、跳ね返されるものもありました。ラザフォードは、「ちり紙めがけて大砲を発射したら、弾丸が跳ね返されたようなものだから、びっくりした」と語っています。この予想外の発見によって、通説はくつがえされ、原子には硬く重く小さい中心部（原子核）が存在すると分かりました。原子核に当たったアルファ線が跳ね返されていたのです。

実験前に予想を持っているからこそ、新現象に驚けるのです。事前の予想を立てていない人は、どんな現象を観測しても、それが重大なのか平凡なのか見分けがつきません。

最近、科学界では研究の不正行為が問題になっています。実験に成功していないのに成功したという、でっち上げの発表をしてしまうのです。嘘《うそ》をついていない論文なら、他人が同じ実験を繰り返せば、結果を再現できるはずです。しかし、再現できない論文が多数あります。日本だけでも世間を騒がせた事件がいくつもありました。世界で数えると、数えきれないぐらい嘘をつかれているのではないかと言われています。ある組織が発表した半数以上の論文で再現ができなかったという調査結果も出ています。**今や、科学論文は疑えという認識が、研究者の間では常識化しています**。

嘘をつく理由は簡単で、嘘だろうが論文を発表すれば、出世できるからです。若手の研究者は、論文をたくさん発表しないとクビになるので、必死です。

嘘はばれそうですが、あまりばれません。他人の書いた論文が正しいか調べる再現実験を、忙しいのにわざわざ自腹を切ってやる研究者はほとんどいません。画期的な主張をしている目立つ論文なら大勢の研究者が再現実験をしますが、地味な論文なら誰も使おうと思わないので放置されます。

嘘をつく人はもったいないことをしています。「私のアイデアなら素晴らしい現象が起こる」という予断を持って実験をして、失敗したら「成功したことにしてデータをでっち上げよう」としているのです。予断を持つまでは立派です。**問題は、実験に失敗したときに、なぜそうなったかを追及しないことです**。せっかく予想が外れたのに、驚きを有効利用しないのです。ラザフォードが「アルファ線は全部突き抜けたことにして、実験が成功したとでっち上げよう」とするようなもので、大チャンスを捨てるばかりか、悪に手を染めています。

失敗は悪いことだ。間違いは悪いことだ。こうした考えは、テストで高い点を取り、受験戦争を戦い抜くには必要なのかもしれません。しかし、研究者の世界に入って、この強迫観念を持ち続けていてはダメです。

実験に失敗しないように、間違いのない仮説を作る。予想が外れたときには大発見にびっくりできるように、ち密に仮説を立てる。そこまで用意しておけば、間違いは大歓迎です。

まとめ

○勝ってから戦え。実験は勝算を得てから実行する。

○ち密に計画を立てた実験での予想外れは、大発見の糸口である。

おわりに

この本を締めくくるにあたり、視点を180度ひっくり返して、試験を作る側からの話をしたいと思います。

入学試験や資格試験の問題の理想は、受験生の実力だけを測ることができ、それ以外の要因に影響されないように作ることです。しかし、この理想の達成はかなり難しいといえます。

たとえば、誰でも公平に受験できるようにするには、テストを点訳（点字にすること）に適する形に作らねばなりませんが、実際はどうでしょう？　視覚に障害がある人が試験を受けられないことは、著しい差別になります。

点訳できるにしても、点訳文は原文に比べ長くなります。解答時間は同じでよいか、それとも長大な紙をめくる手間の分、延長すべきかといったことも考えねばなりません。長文読解問題で本文がとても長いものを見かけます。長い本文が2つあって、それの比較を迫るような複雑な問題もあります。本文の分量が多いと、点訳文もますます長くなり、傍線部を見つけ出すことが難しくなります。このような苦労は国語の学力とは無関係なものですから、このために受験生が不利になってはいけないわけです。

テストの点数が、真の学力ではなく、何か別のものを反映しているにすぎないという状況は、点字に限った話ではありません。本書でも紹介したような受験のテクニックを熟知している人が高い点を取るという傾向は、多かれ少なかれあります。そういう人は、入試にだけ役に立つ裏技は使えるが、学問全般が得意というわけでもないので、大学に入った後に勉強についていけず苦労します。

試験作成者は、誰もが真の学力を発揮できるように、受験テクニックがあまりに大きな影響を持たないように、テストを作るべく努力しています。裏技一発で解けるような問題は避けるのです（数学でいえば、『ロピタルの定理』というものがあります。これを使うと、難問が一瞬で解けることがあります。しかし、受験生がロピタルの定理を自分で証明せずに使ったのなら、不完全な答案であると受け取られかねません。採点者は部分点しかくれないでしょう）。

この本を書くにあたって、受験テクニックを羅列《られつ》するのではなく、「学問」・「科学」とはどういうものか、「勉強」とは何をすることなのか、そのレベルの話に目を向けました。

勉強の本質は「飢《う》え」です。古代ギリシャの哲学者アリストテレスは「人間は生まれつき知ることを欲する」と断言しています。知りたいから勉強するのです。勉強はハングリー精神が基本であって、他人から知識を詰め込まれるのは、何か作業ではあるにしても、本質的には勉強とはいえません。

誰でも幼い頃《ころ》は「なぜ」を連発して大人を困らせるものです。しかし成長するにつれ、困っている大人を察して、無茶な質問は控えるようになります。それは学問的な態度とはいえません。

「なぜ」を問うて初めて学問が始まるのです。アリストテレスは「宿便があまり臭《くさ》くないのはなぜだろう?」とか「北風が吹くと食欲が増すのはなぜだろう?」といった、非常にくだらない上に間違った疑問を思いつき、それに対する自分なりの考えを大量に書き残しています。もちろん、「人は説明で例を挙げることを好むのはなぜだろう?」といった、現代の学者も研究している高等な問題も混じっています。ともかくもアリストテレスは「なぜ」を乱発し、考えを書き残したので、ほとんどすべての学問分野で、人類で最初に論文を書いた人となり、『万学の祖』としてあがめられています。

学校で一生懸命勉強したら疑問は解消して「なぜ」は減るはずだと考える人が、世の中には大勢います。実際は、しっかり勉強して知識を増やした生徒ほど「なぜ」も多く抱いています。「なぜ」を原動力にして、どんどん勉強を進めていく人こそ、賢い人といえます。

本書が、本当の意味での勉強法を見つけるための一助になることを祈って、筆をおきます。

2023年1月

中田　亨

中田 亨（なかた・とおる）

1972年神奈川県生まれ。国立研究開発法人 産業技術総合研究所 人工知能研究センター 副連携室長。中央大学大学院 客員教授。内閣府消費者安全調査委員会専門委員などを兼務。専門は、ヒューマンエラー（人間の間違い）、安全工学、認知心理学。カリフォルニア大学サンタバーバラ校への交換留学を経て、東京大学大学院工学系研究科修了。博士（工学）。著書に『「事務ミス」をナメるな！』『「マニュアル」をナメるな！』（ともに光文社新書）、『ヒューマンエラーを防ぐ知恵』『防げ！ 現場のヒューマンエラー』（ともに朝日文庫）、『多様性工学』（日科技連出版社）など。

テストに強い人は
知っている
ミスを味方にする方法

2023年3月5日　初版第1刷発行

著者 ……………… 中田 亨
イラスト ……………… 芦野公平
発行者 ……………… 池田圭子
発行所 ……………… 笠間書院
〒101-0064
東京都千代田区神田猿楽町2-2-3
電話03-3295-1331
FAX03-3294-0996

アートディレクション ……………… 細山田光宣
装幀・デザイン ……………… 鎌内文
（細山田デザイン事務所）
本文組版 ……………… キャップス
印刷・製本 ……………… モリモト印刷

ISBN 978-4-305-70982-0

https://kasamashoin.jp